ELIE
DE SAINT GILLE

CHANSON DE GESTE

PUBLIÉE AVEC INTRODUCTION, GLOSSAIRE ET INDEX

PAR

Gaston RAYNAUD

ACCOMPAGNÉE DE LA RÉDACTION NORVÉGIENNE

TRADUITE PAR

Eugène KOELBING

PARIS
LIBRAIRIE DE FIRMIN DIDOT ET Cⁱᵉ
56, RUE JACOB, 56

M DCCC LXXIX

Le Puy, imprimerie de Marchessou fils, boulevard Saint-Laurent, 23.

SOCIÉTÉ

DES

ANCIENS TEXTES FRANÇAIS

ELIE DE SAINT GILLE

Publication proposée à la Société le 26 décembre 1878.

Approuvée par le Conseil le 21 janvier 1879 sur le rapport d'une commission composée de MM. P. Meyer, G. Paris et É. Picot.

Commissaire responsable :
M. G. Paris.

INTRODUCTION

Il y a peu de temps, la *Société des anciens textes français* publiait la chanson d'*Aiol* [1]; la chanson d'*Élie de Saint-Gille* en est le complément naturel. Ces deux poèmes ont, en effet, été réunis au XIIIe siècle par un remanieur, qui les a rattachés tous deux à l'une des trois grandes gestes de l'épopée nationale française [2], la geste de Monglane. La publication de l'*Élie de Saint-Gille* [3] devait donc suivre celle de l'*Aiol*.

[1]. Aiol, *chanson de geste publiée d'après le manuscrit unique de Paris par* Jacques Normand *et* Gaston Raynaud, 1877 (1878), in-8º de 350 pages.

[2]. Je rappelle que ces trois gestes sont, d'après la *Chronique saintongeaise*, la geste *du Roi*, la geste de *Doon de Mayence* et la geste de *Garin de Monglane*.

[3]. Cette publication devait primitivement être faite avec le concours de mon ami et confrère Jacques Normand, qui avait même commencé une copie du ms., avant que M. W. Foerster n'eût donné à Heilbronn en 1876 une édition de l'*Élie*, comme complément de son *Aiol*, dont on attend toujours l'introduction, les remarques et le glossaire.

I

Manuscrit du poème.

Le manuscrit qui contient le poème d'*Élie de Saint-Gille* est un ms. bien connu [1]. C'est le ms. de la Bibliothèque Nationale de Paris fr. 25516 (anc. La Vallière 80); il renferme, outre l'*Aiol* et l'*Élie*, une rédaction de *Beuve d'Hanstone* et le roman de *Robert le Diable*. Ce ms. a été écrit sur vélin, à deux colonnes, dans le courant du xiiie siècle; il mesure 0^m 179 sur 252, et compte 209 feuillets : l'*Élie* occupe les folios 76 *a*-95 *c*.

Six miniatures de petite dimension (environ six centimètres carrés) représentent certaines scènes du roman; j'ai indiqué en note, dans le cours du texte, les vers après lesquels ces miniatures sont placées, ainsi que les rubriques qui les accompagnent. Je reproduis ici ces rubriques :

1. — Ichi commenche li vraie estoire de Julien(s) de Saint Gille liqués fu pere Elye duquel Aiols issi, ensi con vous orés el livre (v. 1);

2. — C'est chi ensi con Sarrasin ont pris Elye et l'ont mis en une nef (v. 882);

---

[1]. Voy. le catalogue De Bure, 1783, t. II, p. 214-218, Edm. Stengel, *Mittheil. aus fr. Handschr. der Turiner Univers.- Bibliothek*, p. 32-33, et notre édition d'*Aiol*, p. ij-iv.

3. — Ch'est chi ensi que Elyes ochist les larons et con Galopin li pria merchi (v. 1132);

4. — Ch'est chi ensi con Galopin en porta son signor navré el vergier et con la puchele le vit (v. 1400);

5. — Ch'est chi ensi con Galopin enbla le boin destrier (v. 1952);

6. — Ch'est chi ensi con Galopin espousse Rosamonde l'amie Elye (v. 2690).

J'ajoute que le ms. est l'œuvre d'un scribe picard très négligent, comme le montre le nombre assez considérable de lacunes que j'ai notées, et qui sont souvent comblées par un autre ms. représenté par la version norvégienne, dont j'aurai à parler plus loin.

II

Analyse du poème.

Le poème d'*Élie de Saint-Gille* est déjà connu par l'analyse détaillée qu'en a donnée M. Paulin Paris dans l'*Histoire littéraire* [1] et par le travail que M. Eug. Koelbing a consacré à la rédaction norvégienne, l'*Elissaga* [2]. Je crois cependant bon, pour la

---

1. T. XXII, p. 416-424.
2. *Beitraege zur vergleichenden Geschichte der romantischen Poesie und Prosa des Mittelalters, unter besonderer Berücksich-*

commodité des recherches, de donner un sommaire de la chanson française.

Le comte Julien de Saint-Gilles est vieux et songe à quitter le métier des armes. Il assemble ses barons dans sa grande salle, et, en leur présence, reproche à son fils Élie de ne pas être encore parti pour Paris ou pour Chartres au service du roi Louis, fils de Charlemagne. Élie, froissé des reproches de son père, veut sortir de la salle, mais Julien le retient : « Avant de te laisser partir, » dit-il, « je veux éprouver ta valeur. Prends un cheval et mes meilleures armes ; on va dresser une quintaine au milieu du pré, et je verrai ce que tu sais faire. — Soit ! » dit Élie, « mais cette nuit je ne dormirai pas sous ton toit ! » (v. 1-86).

Élie s'arme et s'apprête à jouter ; du premier coup il renverse la quintaine. Julien, fier de son fils, veut désormais le faire maître de son domaine. Élie refuse, et quitte Saint-Gilles. Le vieux Julien, à l'insu de son fils, ordonne à ses meilleurs chevaliers de le suivre de loin pour le protéger (v. 87-172).

Élie chevauche tout le jour. Il rencontre sur son chemin un chevalier blessé qui ne peut continuer sa route. « Qui es-tu ? » lui dit Élie. — « Je suis fils du comte Amauri de Poitiers, et cousin de Julien de Saint-Gilles. J'étais à Paris avec mon père auprès du roi Louis, quand un messager nous apprit que les Sarrasins avaient envahi le pays. Nous partîmes aussitôt, et notre armée rencontra les païens aux mar-

---

tigung der englischen und nordischen Litteratur (Breslau, 1876), p. 92-136.

ches de Bretagne. Plusieurs combats eurent lieu. A la dernière bataille, le roi Louis allait être fait prisonnier, quand arrivèrent à son secours Guillaume d'Orange et ses compagnons, qui dans la lutte restèrent aux mains des ennemis. Le roi Louis s'est alors enfui jusqu'à Angers, poursuivi par les Sarrasins, et de là m'a envoyé demander aide à Julien de Saint-Gilles. Au sortir de la ville, les païens m'ont attaqué et mis dans cet état. — Je te vengerai ! » dit Élie. Il reçoit le dernier soupir du blessé et part pour rencontrer les Sarrasins (v. 173-249).

Cependant les Sarrasins, conduits par le roi Macabré et par Jossé d'Alexandrie, ne savent que faire de leurs prisonniers, de Guillaume et de ses compagnons. Tout à coup ils aperçoivent Élie qui les a rejoints et veut délivrer les chevaliers chrétiens. Élie tue successivement Rodoant (v. 250-329), Corsaut de Tabarie (v. 330-341), trois autres païens (v. 342-362), le roi Triacre (v. 363-404) et le vieux roi Malatré[1] (v. 405-445). Il court alors aux prisonniers, mais il n'a pas le temps de les délivrer : attaqué de nouveau, il tue Jossien et Salatré, puis se met à la poursuite du roi Malpriant, dont le cheval est plus rapide que tout autre (v. 446-489).

La poursuite est longue (v. 490-531). Élie atteint enfin Malpriant, le renverse à terre, et s'empare de son cheval (v. 532-554). Malpriant, relevé par les païens, les excite contre Élie qui les défie, grâce à la vitesse de son cheval (v. 555-571).

1. Voy. plus loin p. xxvii.

Durant ce temps, Guillaume d'Orange et ses compagnons ont fait couper leurs liens par un paysan (v. 572-612). Ils s'arment à la hâte et vont au secours d'Élie qu'ils ne connaissent pas, mais qu'ils voient poursuivi par les Sarrasins (v. 613-638). La bataille s'engage sanglante et héroïque, entre les païens d'une part et de l'autre Élie, Guillaume et les siens, aidés des chevaliers envoyés à la suite d'Élie par Julien, son père. Élie est enfin fait prisonnier par le roi Malpriant (v. 639-769). Guillaume d'Orange apprend alors qui est Élie et quel est son père : il court à toute vitesse demander secours à Saint-Gilles (v. 770-796).

Le portier de Saint-Gilles veut s'opposer au passage de Guillaume ; Guillaume le tue (v. 797-824). Le vieux Julien jure de punir le coupable, mais sa colère tombe, quand il voit devant lui les fils d'Aimeri de Narbonne, Guillaume, Bertrand, Bernard et Arnaud. Guillaume donne au comte Julien des nouvelles d'Élie : il lui apprend que son fils est prisonnier. Julien rassemble ses vassaux, demande aide au roi Louis et s'apprête à aller délivrer son fils (v. 825-869).

Les païens emmènent Élie ; ils s'embarquent et arrivent tout près de Sobrie, la ville de Macabré. Avant de débarquer, Macabré veut faire adorer à Élie son dieu Mahomet, et lui promet en échange la main de sa fille, la belle Rosemonde. Élie refuse, et, voyant Malpriant conduire par la bride le cheval qu'il a repris, il se précipite sur le païen, le tue, monte sur le cheval qu'il lance à la nage, et se sauve (v. 870-974). Macabré, furieux contre son dieu, renverse la statue de Mahomet, au grand désespoir des païens, et envoie à la poursuite d'Elie de nombreux Sarrasins (v. 975-1020).

Élie chevauche toute la nuit ; il aperçoit bientôt, à la clarté de la lune, les païens qui le poursuivent : il se retourne, et tue le roi Codroé. Le reste des Sarrasins n'ose avancer plus loin (v. 1021-1041). Depuis trois jours Elie n'a pas mangé ; il passe la nuit dans une forêt, et, au point du jour, il arrive dans une clairière où quatre voleurs étaient en train d'apprêter leur repas. Élie s'invite sans cérémonie, et mange plus que sa part. Les voleurs veulent alors lui faire payer par trop cher ce repas. Élie en tue deux et met le troisième en fuite (v. 1042-1161). Le quatrième, Galopin, se jette à genoux et demande grâce : « Sire, » dit-il, « épargnez-moi ! je vous donnerai tout l'or que vous voudrez. Je suis chrétien et fils de Tieri d'Ardenne ; une méchante fée a fait de moi un nain, et ces voleurs m'ont acheté alors que j'étais en bas âge. Laissez-moi être votre homme ! » Élie y consent (v. 1162-1203).

Au même instant surviennent trois païens ; l'un d'eux attaque Élie et le blesse grièvement. Galopin tue deux des Sarrasins et blesse l'autre qui court à Sobrie annoncer la venue d'Élie. Les païens s'arment en toute hâte (v. 1204-1282).

Après un nouveau combat où il est encore blessé, Élie est recueilli dans une tour de Sobrie par Rosemonde, qui se prend à aimer le jeune chevalier, et lui guérit ses blessures (v. 1283-1462). Quinze jours se passent ainsi, quand tout à coup Macabré reçoit un message du vieux roi Lubien qui est entré sur ses terres, et lui propose un combat singulier, s'il n'aime pas mieux lui livrer à l'instant son royaume et sa fille. Macabré mande aussitôt Caïfas son fils, Jossé d'Alexandrie et le roi Malpriant ; il leur demande de prendre sa place et de combattre Lubien : tous trois refusent (v. 1463-1606). Macabré va donc être forcé de livrer Rosemonde ; mais la jeune fille promet à son père de lui procurer un champion, s'il veut jurer de garder la vie sauve à ce chevalier. Macabré fait le serment demandé, et Élie paraît (v. 1607-1779).

Rosemonde apprend alors à Élie ce qu'elle veut de lui, et lui propose de l'épouser. Élie lui dit qu'il ne peut épouser une païenne ; mais pour l'amour d'elle, il combattra le vieux Lubien, dont le cheval, Prinsaut, est si terrible. Galopin promet alors à Élie de lui amener le fameux cheval (v. 1780-1839) ; il réussit en effet à se glissser dans le camp ennemi, et revient triomphant avec Prinsaut (v. 1840-2055).

Le lendemain matin Élie s'arme et s'avance pour combattre Lubien (v. 2056-2161) ; Caïfas, frère de Rosemonde, furieux de voir sa sœur éprise d'Élie, la maltraite et l'insulte (v. 2162-2187). Le combat a lieu ; Élie, vainqueur, rapporte à Rosemonde le faucon de Lubien (v. 2188-2334) et la venge de Caïfas en le tuant (v. 2335-2353).

Macabré, à son tour, veut venger son fils : Élie et Galopin sont forcés de se réfugier dans une tour de Sobrie, où Rosemonde les reçoit. Les païens font le siège de la tour (v. 2354-2445). Elie aperçoit alors un chevalier qui revient d'outre mer ; il l'appelle et le prie d'aller à Saint-Gilles demander du secours. Godefroi, — c'est le nom du chevalier, qui autrefois a connu Élie, — se charge du message; et bientôt le roi Louis, Julien de Saint-Gilles et toute la *geste* de Monglane arrivent sous les murs de Sobrie et délivrent Élie; Macabré est tué par Galopin (v. 2446-2619). Les chevaliers français entrent dans Sobrie et on baptise Rosemonde. Élie, qui a aidé à la tenir sur les fonts, veut l'épouser; mais l'archevêque s'oppose à ce mariage, qui, suivant le droit canonique, est impossible, puisque Élie a été le parrain de Rosemonde. Rosemonde se désole d'abord, puis elle se décide à épouser Galopin. Quant à Élie, le roi de France lui promet la main de sa sœur Avisse avec le fief de Bourges et d'Orléans. Élie, Galopin et leurs compagnons, conduits par Godefroi, vont alors en Terre Sainte pour visiter le Saint-Sépulcre. A leur retour, on célèbre à Paris les noces d'Élie et d'Avisse. C'est de ce mariage qu'est né Aiol, le héros de la chanson bien connue (v. 2620-2761).

On voit par cette analyse assez développée que le poème présente une certaine unité, chose rare dans les chansons de geste du xiiie siècle. On n'y trouve pas, il est vrai, de scènes vivantes et intéressantes, comme dans la première partie de l'*Aiol*; par contre, l'intrigue se déroule régulièrement et de nouveaux incidents ne viennent pas après coup se greffer sur l'action principale. Le dénouement peut sembler étrange, et s'accorde mal avec tout le récit, qui prépare évidemment l'union d'Élie avec Rosemonde : on verra ce qu'il faut penser de cette fin, quand j'aborderai l'étude de la rédaction norvégienne [1] et des rapports de l'*Élie* et de l'*Aiol* [2].

III

Versification du poème.

1º *Assonances.* — La chanson d'*Élie de Saint-Gille* se divise en 68 laisses ou tirades monorimes, dont 17 ont des assonances féminines et 51 des assonances masculines; cette proportion est ordinaire. Voici les tableaux de ces assonances rangées par ordre alphabétique [3].

Assonances féminines.

a. e — 2, 6, 10, 12, 42, 45, 47.
an. e, en. e — 39, 51, 53.
i. e — 1, 4, 17, 27, 34, 43, 48.

Assonances masculines.

a — 38, 56, 63, 66.
an, en — 7, 16, 18.

---

1. Voy. p. xxxviii-xxxix.
2. Voy. p. xix-xx.
3. Les chiffres de ces deux tableaux correspondent à la numérotation des laisses.

é — 3, 8, 23, 25, 29, 33, 41, 46, 50, 52, 61, 68.
è — 9, 11, 37, 54, 58, 60, 65, 67.
i — 5, 22, 32, 62.
ié — 20, 28, 30, 35, 40, 44, 49, 55, 57, 64.
ó — 13, 15, 19, 21, 31, 36.
ò — 14.
u — 24, 26, 59.

J'ai peu de remarques à faire à propos de ces assonances ; je note cependant que la tendance à la rime commence à se faire sentir dans les assonances masculines ; je constate de plus que *an* et *en*, *an. e* et *en. e* sont absolument confondus, et que les assonances en è ne présentent aucun mot où è provienne de *e* ou *i* latin en position. Quant à la longue laisse LXVIII, qui compte 418 vers, elle est d'une étendue tout-à-fait exceptionnelle, qui s'explique par la manière dont cette fin a été composée [1].

2° *Rythme*. — Le poème est écrit en vers ordinaires de douze syllabes, ayant l'hémistiche régulier à la sixième syllabe. Çà et là, dans le corps du texte, on rencontre un certain nombre de vers décasyllabiques, les uns avec césure après la quatrième syllabe (v. 33, 79 et 80, 822, 1894, 2026, 2039, [2047], 2385, 2390), les autres, moins nombreux, dont le rythme est semblable à celui qui est usité dans la première partie de l'*Aiol*, ayant leur césure après la sixième syllabe :

---

1. Voy. plus loin p. XL-XLI.

v. 841.   Et montent el palais tout a .i. bruit.
v. 863.   Il a dit a ses homes : « Car levés sus ! »
v. 1390.   Car Galopin li leres estoit mout cours.

Tous ces vers épars dans la chanson peuvent sans peine être corrigés et devenir des dodécasyllabes. Aussi ne suffisent-ils pas à prouver que de même que l'*Aiol* l'*Élie* ait été écrit primitivement en décasyllabes. Mais, d'autre part, la preuve de ce fait est donnée par la série non interrompue de 43 vers décasyllabiques (v. 35-77), qui ont certainement été écrits ainsi par le poète.

Je remarque que ces 43 vers ne sont pas coupés comme les vers décasyllabiques de l'*Aiol* et qu'ils ont *tous* leur césure après la quatrième syllabe.

Je ne trouve pas non plus trace dans l'*Élie* de vers qui ressemble à ce vers d'*Aiol* [1] :

Si n'ai apris mes ar-mes a porter,

et ait une syllabe finale muette pour première syllabe du second hémistiche.

---

[1]. Voy. l'introduction d'*Aiol*, p. xv-xviii.

IV

Langue du poème.

On verra plus loin que la chanson d'*Élie* n'est qu'un remaniement du XIIIe siècle : il est donc difficile de préciser en quel dialecte était écrite la rédaction primitive. Les quelques vers décasyllabiques qui la représentent appartiennent sans doute au dialecte de l'Ile-de-France; quant au remanieur, il était évidemment picard, comme le prouvent la terminaison du participe féminin *froncie* 1735 (= *fronchiée*) assonant en *i. e*, et les formes *-omes* et *-iemes* des premières personnes pluriel d'un assez grand nombre de verbes : *alomes* 2242, *diromes* 871, *iromes* 374, *poignomes* 658, *seromes* 2601, *somes* 558, 590, *vendromes* 1307; *aliemes* 376, *fussiemes* 215, 1481. Il faut dire cependant que les formes en *-ons* sont de beaucoup les plus fréquentes : *alons* 2457, *avon* 511, *dirons* 574, *entrons* 2313, *sons* 783, *troverons* 267, *tueron* 518, etc.

Le scribe auquel nous devons l'unique ms. de l'*Élie* était lui-même du nord de la France; il montre, en effet, les formes chuintantes : *commenche* 12, *ochis* 19, etc., les subjonctifs terminés par une gutturale : *confonge* 379, 1078, etc., *meche* 600, 1932, *perge* 1421, *prenge* 85, etc., et la substitution de l'*au* picard à l'*ol* latin : *caupast* 762, *caus* 1 636, 1017, *faurai* 1346, *taurai* 368, etc., *taut* 602, *vaurai* 2702, *vaute* 2415, etc., etc.

En dehors de ces quelques faits, la phonétique du ms. n'offre rien de caractéristique; c'est bien plutôt l'orthographe du scribe qui est remarquable par sa bizarrerie et son indécision, qui ont, du reste, été conservées dans l'édition, sauf pour les cas évidemment fautifs. J'énumère les particularités du ms. en suivant l'ordre alphabétique.

a est quelquefois employé pour *ai* : *a* 1051, *avra* 1886, *donra*, 1551, 2703, *fera* 2517; la forme ordinaire est *ai*. — Par contre, *ai* est mis à la place d'*a* : *ai* 865, *verai* 27. La terminaison *a* est la seule bonne puisqu'elle paraît à l'assonance dans les laisses en *a* (XXXVIII, LVI, LXIII, LXVI).

On ne rencontre qu'une fois (cf. la laisse III, en *és*) la finale *ois* pour *és* : *raverois* 1882.

L'*n* devant *t* semble s'assourdir jusqu'à ne plus se prononcer : *ensangletés* 2345, *so talent* 1244.

L'*r* final ne se prononce pas dans *encontré* 1818 = encontrer, *soufri* 1738 = soufrir; il se confond avec *l* dans *pa le* 1103 = *par la*.

L'*s* et le *t*, à la fin des mots, n'étaient pas prononcés par le scribe; ces deux lettres sont souvent supprimées, et souvent aussi mises à tort l'une pour l'autre.

L'*s* final manque — après une consonne : *cour* 643

---

1. C'est par une distraction évidente que dans l'introduction de l'*Aiol* (p. ix) *caus*, fr. *chaut*, a été confondu avec *caus*, fr. *coup*. Voy. *Romania*, t. VII, p. 156.

(*cours*), *gran* 754, etc. (*grans*), *secor* 216, 866, etc. (*secors*) ; — après une voyelle : *avra* 65 (*avras*), *contralie* 992 (*contralies*), *feré* 1801 (*ferés*), *gro* 1155 (*gros*), *justiche* 993 (*justiches*), *le* 1775 (*les*), *no* 93 (*nos*), *vo* 1882 (*vos*), *sou* 1447 (*sous*).

Le *t* final manque — après une consonne : *cor* 798, 808, etc. (*cort*), *don* 572 (*dont*), *enpoin* 327, 341, etc. (*enpoint*), *plor* 449 (*plort*), etc., etc. ; — après une voyelle : *lai* 2220 (*lait*), *pu* 153 (*put*), *tou* 376 (*tout*).

La confusion de l's et du *t* a lieu, d'une part, à la fin des mots *fort* 1983, *pont* 9, *tout* 17, 177, etc., qui devraient s'écrire *fors, pons, tous*, et, de l'autre, dans les mots *bruis* 841, *entens* 767, *soavès* 2022, *vens* 608, qui devraient prendre un *t* final : *bruit, entent, soavèt* et *vent*.

Cette non-prononciation de l's explique certaines fautes contre la règle de la déclinaison : *auberc* 353 pour *aubers, jor* 810 pour *jors, vilain* 582 pour *vilains*, etc.; *desloiés* 477 pour *desloié*, *detrenchiés* 630 pour *detrenchié*, etc. Dans d'autres cas, cependant, il y a eu évidemment confusion entre le cas-régime et le cas-sujet : *amiral* 259, 891, etc., pour *amiraus, mon pere* 2178 pour *mes pere*, etc. Les noms propres *Elie* 1677, 2352 et *Guillaume* 736, 770 ne peuvent prendre l's réglementaire du sujet sans fausser le vers.

En dernier lieu, je note que le scribe, ou peut-être même l'auteur, montre une grande indécision dans la coupe de quelques syllabes : la finale *iés* des imparfaits et conditionnels compte dans le vers, tantôt pour une syllabe : *comperiés* 2040, *feriés* 2039, *perderiés* 2294, *poriés* 1947, etc., tantôt pour deux : *voliés* 1809. Le mot *eust* n'a qu'une syllabe au v. 1219, et en a deux aux vers 110, 1742, etc. ; de même pour *v(e)és* 1288, 2559 et *veés* 43, 2398. Enfin les noms propres *Aymer* et *Loeys*, qui comptent toujours pour trois syllabes, sont parfois pris pour deux : *Aimer* 2532, 2594, *Loeys* 866. Ces quelques exemples suffisent à prouver combien peu on doit faire fond sur le texte de l'*Élie* pour une étude phonétique et grammaticale de l'ancien français.

V

Origine et date du poème.

Les derniers vers du poème (v. 2757-2761) rattachent entre elles les deux chansons d'*Aiol* et d'*Élie,* et font du héros de la première le fils du héros de la seconde :

> D'Elye vint Ayous, si con avant orés.
> Ichi faut li romans de Julien le ber
> Et d'Elye son fil qui tant pot endurer ;
> Cil engenra Ayoul qui tant fist a loer,
> Si con vous m'orés dire, sel volés escouter.

Avant d'examiner le rapport qui existe entre les deux poèmes et de rechercher l'origine et la date de l'*Élie,* il est bon de rappeler et de résumer ce qui a déjà été dit sur l'*Aiol*[1]. Ce poème, composé au XIIe siècle en vers décasyllabiques par un trouvère du centre de la France, a été remanié au XIIIe siècle par un poète picard qui a refait les vers en rythme dodécasyllabique, tout en conservant en décasyllabes une partie de la rédaction primitive. Aiol, personnage fictif, est, d'après l'hypothèse qui a été émise dans l'introduction du poème, le fils d'un personnage historique, Hélie, comte de la Flèche.

A s'en tenir aux vers qui précèdent, les deux chansons ont donc même auteur ou tout au moins même remanieur ; c'est à cette dernière hypothèse qu'il faut s'arrêter, car, de même que l'*Aiol*, l'*Élie* est un remaniement du XIIIe siècle. Les quelques vers décasyllabiques, qui se montrent dans le poème[2] représentent en effet un état plus ancien de la chanson ; de plus comment expliquer autrement que par l'action d'un remanieur l'erreur, souvent répétée, qui transforme *Saint-Gilles* en ville de Provence[3], et fait du château-fort de Saint-Gilles, lieu d'origine réel ou imaginaire d'Élie, la grande cité du midi, si importante et si célèbre aux XIIe et XIIIe siècles ? Le Saint-Gilles, en effet, du poème semble bien ne pas être dans le Midi, mais plutôt dans l'Anjou ; il suffit pour s'en convaincre de se reporter, d'un côté, à un passage très explicite de la chanson et d'étudier, d'autre part, la

1. Voy. l'introduction d'*Aiol*, p. XIX-XXVIII.
2. Voy. plus haut p. XI-XII.
3. Je note, en passant, que Saint-Gilles, la fameuse ville du Midi, est toujours dite en Provence au moyen âge, bien qu'elle soit en Languedoc (auj. dans le dép. du Gard).

topographie de l'*Élie* et les noms de villes qui y figurent. Au v. 179, Élie a quitté Saint-Gilles ; après avoir chevauché tout *un* jour, il rencontre un messager blessé qui, au sortir d'Angers, vient d'être assailli et mis à mal par les Sarrasins. La chose est claire : pour venir de Provence en Anjou, il eût fallu plus d'*un* [1] jour à Élie, même s'il eût été monté sur Prinsaut ou sur Marchegai. Le Saint-Gilles de la chanson est donc près d'Angers [2]. Du reste, le trouvère accumule dans ses vers les noms de villes de cette partie de la France : Chartres, Bourges, Orléans, Poitiers, Blèves, qui n'est pas Blois, comme le croit M. Koelbing [3] ; autre part, il parle encore du Maine, du Berri, de la Loire. La Provence, au contraire, n'est citée que trois fois, et encore est-ce pour déterminer simplement la ville de Saint-Gilles :

v. 387 .... Saint Gille, en Provence le bele.
v. 932 .... en Provenche ens el mostier Saint Gille.
v. 1414 .... Saint Gille, de Provence la bele.

Aucun fait de l'action ne se passe en Provence, et les quelques villes de cette région qui sont mentionnées n'apparaissent qu'incidemment (Arles 2205, Valence 2464). Élie est presque toujours appelé Élie *de France* (v. 1781, 1814, 1841, 1946, 2001, 2004,

---

1. Dans le roman de *Raoul de Cambrai* (p. 257), il faut à Bernier *quinze* jours pour aller de Saint-Quentin à Saint-Gilles.
2. Il s'agit peut-être ici de Saint-Gilles, près de Grugé-l'Hôpital, dont parle le dictionnaire de M. Célestin Port.
3. *Beitraege...*, p. 96.

2144), ce qui, à l'époque du poème, ne concorderait guère avec une origine méridionale. Bien plus, dans une partie de la chanson qu'il a évidemment composée lui-même, le remanieur avait tellement peu présent à l'esprit le lieu de son action, qu'il devait supposer être en Provence, que dans l'énumération qu'il fait des peuples rangés sous la bannière de Julien, comte de Saint-Gilles (v. 2622-2623), il nomme des Français, des Bourguignons, des Flamands, des Berrichons, mais non pas des Provençaux.

Il y a donc eu remaniement, et remaniement fait au xiiie siècle. Mais quel était le poème original et à quelle époque en remonte la composition? Je remarque tout d'abord que ce poème primitif, tel que l'avaient sous les yeux, d'une part, le trouvère du xiiie siècle dont nous possédons le remaniement, et, de l'autre, un second remanieur français, qui a servi d'original à la version norvégienne, était incomplet à la fin [1]. On peut supposer, soit que l'*Élie* n'a pas été achevé par son auteur, soit qu'une même famille de mss. défectueux a servi aux deux remanieurs qui, chacun de leur côté, ont composé un épilogue tout différent. Quoi qu'il en soit, il est facile de prévoir que la chanson du xiie siècle [2] devait se terminer par le mariage

1. Voy. plus loin p. xxxviii-xxxix.
2. M. P. Paris (*Hist. litt.*, t. XXII, p. 423-424) dit que la « mention d'un pèlerinage pacifique au saint sépulcre » pourrait faire supposer que la rédaction primitive de l'*Élie* est antérieure au commencement du xiie siècle. Il faut observer que cette mention se trouve à l'extrême fin du poème français (v. 2718), dans une partie qui est l'œuvre personnelle du remanieur; c'est donc bien plutôt un souvenir du temps passé qu'une allusion au temps présent.

d'Élie et de Rosemonde. Mais le remanieur, en refaisant un autre poème du xiie siècle, l'*Aiol,* y avait remarqué le personnage d'Élie, le père du héros. Ce personnage portait le même nom qu'Élie de Saint-Gilles ; de là à identifier les deux noms, il n'y avait qu'un pas. Le remanieur n'hésita pas, et, reliant entre eux deux poèmes qui n'avaient rien de commun, il donna pour père à Aiol l'Élie de l'*Élie de Saint-Gille.* Une chose pourtant le gênait : la présence de Rosemonde, qui logiquement devait épouser Élie, mais qui ne pouvait pas être la mère d'Aiol, puisque dans l'*Aiol* cette mère est sœur du roi Louis et porte le nom d'Avisse. Le remanieur se tira d'affaire en imaginant, au dernier moment, un empêchement au mariage d'Élie et de Rosemonde et en faisant épouser Avisse à Élie. Dès lors, les deux poèmes étaient soudés l'un à l'autre ; la *geste de Saint-Gille* était créée, et l'auteur du roman de *Raoul de Cambrai* [1] pouvait, à son tour, faire remonter la *geste* d'une génération, et intercaler, à la fin de son poème, un long passage pour parler de la naissance à Saint-Gilles de Julien, père d'Élie et fils de Bernier et de Béatrix.

A une époque où on prétendait relier entre elles presque toutes les chansons, l'*Élie* devait se rattacher à une *geste* quelconque ; il se rattache en effet à la geste de Monglane, et la plupart des héros de cette famille, à laquelle appartient Élie par sa

---

1. *Li romans de Raoul de Cambrai et de Bernier,* pp..... E. Le Glay (Paris, Techener, 1840), p. 257-258. Cf. aussi P. Paris, *Hist. litt.*, t. XXII, p. 724-725.

mère, se retrouvent dans le poème : Arnaud de Beaulande [1], Aimeri de Narbonne, Bernard de Brebant et son fils Bertrand, Beuve de Comarchis, Guillaume d'Orange, Garin d'Anseüne, Aïmer le Chétif, Turpin l'archevêque de Reims, etc. Il est à remarquer qu'Élie, qui figure dans la généalogie de la maison de Monglane donnée au XIIIe siècle par Albéric de Trois-Fontaines [2], ne se trouve pas mentionné dans le roman d'*Aimeri de Narbonne* [3]; ce qui prouve, une fois de plus, que le remanieur a fait œuvre personnelle en introduisant Élie dans la *geste* de Monglane ; ce qui prouve aussi qu'Albéric de Trois-Fontaines a connu le roman d'*Élie,* tel que nous le possédons aujourd'hui ; et c'est là sans doute l'unique source où il puise, quand il fait d'Élie le neveu de Guillaume d'Orange.

Le remanieur possédait bien, du reste, la littérature épique de son temps ; plusieurs fois il fait allusion à certaines chansons de geste : à une chanson sur le *chétif* Aïmer [4] (v. 67) tout d'abord, puis à *Rainouart au tinel* (v. 2519, 2535) et aussi au poème perdu de *Basin* [5], quand il parle de l'herbe enchantée des monts

---

1. Le poème d'*Élie de Saint-Gille* ne connaît pas les trois frères d'Arnaud de Beaulande : Girard de Vienne, Renier de Gênes et Milon de Pouille ; il reproduit donc la plus ancienne tradition. Voy. G. Paris, *Hist. poét. de Charl.*, p. 79-80.

2. Pertz, *Monum. German.*, t. XXIII, p. 716.

3. Voy. G. Paris, *Hist. poét. de Charl.*, p. 469.

4. Dans cette chanson Aïmer tuait un guerrier, sans doute païen, appelé Anseïs de Carthage ; il ne peut s'agir du héros chrétien du poème de ce nom, où Anseïs n'est pas tué, et qui est postérieur à à *Elie* ; il faut donc rectifier le Glossaire, p. 196.

5. Voy. G. Paris, *Hist. poét. de Charl.*, p. 315-322.

de Garnimas (v. 1979-1982). Il mentionne plus loin (v. 1793-1796) une légende de la femme de Salomon qui est fort ancienne, et sur laquelle M. G. Paris a donné quelques éclaircissements [1]. Autre part, c'est l'épopée bretonne dont il met en jeu les héros : le roi Arthur, Gauvain et Mordret ; enfin, au v. 2383, il place dans la bouche de Charles-Martel un dicton, bien connu d'ailleurs [2], mais qui ne se retrouve ni dans *Garin le Loherain* ni dans *Girart de Roussillon,* les deux seuls poèmes qui fassent mention de Charles-Martel.

Tous ces souvenirs ne permettent guère de supposer un élément historique dans la chanson d'*Élie ;* je suis toutefois disposé à faire une certaine place à la réalité historique en considérant comme des Normands les Sarrasins dont il est question en maint endroit du poème. On a vu, aux vers 179-180, qu'Élie avait quitté Saint-Gilles et avait marché tout le jour *sans boire ni manger.* Au v. 1050, nous retrouvons Élie qui, depuis *trois* jours, n'a rien mangé. Il est évident pour moi que, dans la version primitive, les *trois* jours dataient du départ de Saint-Gilles; et il me semble facile d'expliquer les nombreux combats d'Élie et son lointain voyage en terre païenne, en supposant que le héros de la chanson a eu affaire, non pas à des Sarrasins, mais à des envahisseurs normands. On sait, en effet, que, du IXe au Xe siècle, les Normands ont

---

[1]. *Romania*, t. IX, p. 436-438.
[2]. Leroux de Lincy, dans son *Livre des proverbes français* (t. II, p. 355), cite deux exemples de ce proverbe, l'un emprunté à la *Chanson des Saisnes,* de Bodel, l'autre au roman de *Parise la duchesse ;* voy. aussi le glossaire de Gachet, p. 777.

souvent envahi le bassin de la Loire et ont même séjourné, à plusieurs reprises, sur ses bords [1]. N'est-il pas naturel de voir dans Sobrie, la ville païenne du poème, un des établissements normands des rives ou de l'embouchure de la Loire, Noirmoutiers peut-être [2], et d'admettre que les souvenirs terribles, laissés en Anjou par les invasions normandes, ont servi de base à des traditions locales, qui, en se développant, ont abouti entre autres à la chanson d'*Élie* ?

Sans vouloir cependant m'avancer trop sur un terrain où les preuves manquent, je résume tout ce chapitre en quelques mots : l'*Élie de Saint-Gille* est un poème remanié au XIIIe siècle sur un original du XIIe siècle. Un trouvère qui avait déjà remanié l'*Aiol* a opéré de même sur l'*Élie*, et a lié ces deux chansons l'une à l'autre par une transition de son invention.

VI

L'Elissaga.

La chanson d'*Élie de Saint-Gille* n'a pas eu la vogue européenne de l'*Aiol* [3] et n'a été imitée que dans

---

1. Voy. Depping, *Histoire des expéditions maritimes des Normands...* (nouvelle édition, 1844), p. 63 et suiv.
2. Le poème parle plusieurs fois (v. 541, 952) d'une *île*, près de laquelle se livre un combat.
3. Il faut ajouter aux citations d'*Aiol* données dans l'introduction

la littérature scandinave, où elle est devenue le poème norvégien l'*Elissaga* [1]. M. Eug. Koelbing a bien voulu traduire en allemand, pour la *Société des anciens textes,* ce poème dans sa forme la plus ancienne ; c'est sur cette traduction qu'est faite la version française que je publie plus loin.

Avant de comparer les deux versions française et norvégienne, je reproduis la notice que M. Koelbing a jointe à sa traduction.

Les mss. de la saga sont :

A — Université d'Upsal, ms. Delagardie 4-7, vél. in-fol. XIIIe siècle.

D — Stockholm, ms. 7, parchem., in-fol. (1500).

C — Copenhague, Arnamagnéen 533, parchem., in-4° (1400).

B — Stockolm, ms. 6, parchem., in-4° (1400).

Fragments :

F¹ et *F²* — Copenhague, Arnamagnéen 567, in-4° (1350).

H — Copenhague, Arnamagnéen 579, in-4° (1500), 6 feuillets.

E — Cepenhague, Arnamagnéen 580 ª, in-4° (1300), 1 feuillet.

Le ms. *A* est celui qui, par son âge et par son contexte, se rapproche le plus de l'original. Ce n'est certainement pas l'original lui-même, comme le prouvent différentes altérations et omissions. — A la même classe (=*x*) que ce ms., appartient *D* dont le texte est très écourté et parfois altéré. — *E* (un feuillet) appartient aussi à cette classe.

de ce poème (p. XXXIII-XXXIV) les vers 12753-12756 de la *Chronique rimée* de Philippe Mousket (éd. Reiffenberg), qui font allusion à la parenté d'Élie avec le roi Louis. Voy. *Romania*, t. VII, p. 156.

1. M. Eug. Koelbing doit donner prochainement une édition de cette rédaction norvégienne.

En regard de cette première classe se place la classe *y*, représentée principalement par *C* et *B*, qui renvoient à un original commun fortement remanié. — A la même classe appartiennent les fragments *F¹*, *F²* et *H*.

La traduction a pris pour base le ms. *A*, aussi longtemps qu'il dure. On n'a mentionné qu'un petit nombre de variantes, choisies parmi les plus importantes de celles que présentent *B*, *C* et *D* d'accord entre eux contre *A ;* dans ce cas, ces mss. semblent reproduire l'original. Au milieu d'*A* manquent deux feuillets. Cette lacune est comblée au moyen du texte de *C*, avec les variantes de *B*, qui est remplacé, là où il fait défaut, par une copie, *b*.

A finit définitivement à la page 161. La fin de la saga est donnée d'après *C ;* on n'a mis que les variantes communes à *B* et *D*, et, dans le cas où *B* manque, (p. 168-172), les variantes communes à *H* et *D*. Page 173, commence une lacune de *C* jusqu'à la page 176 ; cette lacune est comblée par *B ;* de même, la dernière page de *C* étant illisible, la fin est donnée d'après *B*.

Le fragment *E*, qui est noté parfois en variante, va de la p. 139 à la p. 145 ; *F¹*, de la p. 131 à la p. 135 ; *F²*, de la p. 173 à la p. 176. *H* commence au milieu de la page 131 et va jusqu'à la fin ; mais il n'a qu'une très médiocre valeur.

La comparaison minutieuse du texte français et de la version norvégienne a été faite par M. Koelbing dans ses *Beitraege zur vergleichenden Geschichte der romantischen Poesie und Prosa des Mittelalters...* (p. 92-136) ; je ne crois pas cependant inutile de faire cette étude à nouveau, et la comparaison, laisse par laisse, de la rédaction française (= F) et de la *saga* norvégienne (= S) ajoutera de nouveaux éléments au travail de M. Koelbing.

I. — Le commencement est un peu allongé dans S, qui, à

partir du v. 11, supprime toute la fin de la tirade, faisant double emploi avec le commencement de la laisse II.

II. — Dans S, la scène se passe à une fête de saint Denis ; cette énonciation manque dans F. — S est plus croyable que F en donnant à Julien soixante ans d'âge (p. 94) et non cent (v. 36). — Les noms de différents personnages sont changés : Olive de F est devenue, suivant les mss., Osseble ou Ozible (le rapprochement d'autres mots comme *Piereplate, Hilaire, Blaye* donne lieu de supposer qu'il faut lire *Orable*, dans une laisse assonant en *a. e)* ; Garin de Piereplate s'est changé en Guérin de Porfrettiborg. — Après le v. 42, il y a une lacune dans F ; la fille de Julien est trop jeune encore pour se marier, mais, comme le dit S (p. 94-95), Guérin a juré de l'épouser plus tard. — S ne fait pas d'allusion à *Anseïs de Cartage* (F, v. 67). — A la fin de la laisse, F présente deux lacunes, c'est d'abord le développement des vers 74-80 (Julien explique longuement dans S, p. 96, la manière dont il récompensera ou punira son fils, suivant sa conduite) ; c'est ensuite un long passage (S, p. 97), où Élie veut partir seul et sans armes.

III. — Le commencement est un peu plus long dans S. — Après le v. 100, il y a une lacune dans F, représentant dans S (p. 99) le développement du v. 116. — Nouvelle lacune après le v. 106 : F oublie de mentionner que le coup donné par Julien à Élie fait rire toute l'assemblée des barons. Le trait est tout à fait primitif.

IV. — Les détails de la joute d'Élie sont plus nombreux dans S (p. 100) que dans F, où ils se réduisent à quatre vers (v. 133-136). — S a passé les vers 141-142.

V. — Dans S (p. 101), Julien menace Élie de le mettre en prison ; ce détail semble ajouté, car la menace ne se réalise pas plus tard. — Sauf Aïmer et Thieri (F, v. 167), les noms des chevaliers ne sont pas les mêmes dans les deux rédactions ; S contient plus de noms que F. Il est, du reste, impossible de savoir quels étaient ces noms dans l'original ; car aucun d'eux ne reparaît (à l'exception d'Aïmer=Aïmart) dans la suite. — S (p. 102) ne parle pas d'Angers, mais, en revanche, cite Montpellier (le ms. *A* donne Pelliers, qu'il faut peut-être lire Poitiers). — Dans S (p. 104), le messager n'est que blessé ; dans F, il meurt entre les bras d'Élie. Cette dernière leçon est la bonne, car plus loin (v. 681-2), les chevaliers envoyés au secours d'Élie s'attardent à enterrer le corps ; cet incident manque dans S.

VI. — L'énumération des dix princes païens, qui, en dehors des deux chefs, Macabré et Jossé, doivent successivement combattre Élie, n'est pas la même dans F et S. Dans F, certains noms, comme Aitropé, Gambon et Orable, ne se retrouvent pas dans la suite ; S nomme trois fois Malpriant. Pour la comparaison des deux textes, il faut se reporter à chaque laisse.

VII. — La rédaction F, certainement abrégée, ne mentionne ni le nom de Guibourc (S, p. 105), ni la réplique de Bernard, qui est près d'attirer à Guillaume un second coup

VIII et IX. — Les deux premiers princes païens tués par Élie sont les mêmes dans les deux rédactions : Rodoant de Calabre et Corsaut de Tabarie.

X. — Les noms des *trois* païens qui suivent sont douteux dans F et dans S ; le seul qui soit nommé directement est Gaidonet (F, v. 350), sans doute le même que Granduse d'Orcle, cité plus haut par S (p. 104). Quant aux deux autres, on a le choix entre Malchabarié (S, p. 104), Aitropé (F, v. 255), Gambon ou Orable (F, v. 256). — Au v. 371, F a tort de citer Jossé d'Alixandre, que S remplace par Malatré (p. 108).

XI. — Le sixième combattant est Triacre (ou Tiacre) dans les deux rédactions.

XII. — Le septième païen est Malatré dans S (p. 109) ; il faut donc corriger dans F (v. 405 et 448) Salatré en Malatré.

XIII. — Le huitième païen est Jossien (S donne Jossé qui a été corrigé) ; c'est sans doute aussi le même que le Josué de F (v. 257). — Aux v. 468 et 471, la correction de Salatré en Aitropé est inutile, par suite de la substitution de Malatré à Salatré dans la laisse XII. — Quant à Priant (F, v. 469), c'est une forme fautive de Malpriant.

XIV. — Le neuvième païen est Salatré. — Après le v. 480, il y a une lacune dans F; il faut, en effet, expliquer qu'Élie est attaqué par Salatré. — La fin de la laisse est plus explicite dans S (p. 111-112) que dans F qui se contente de dire : «... ja l'encauchera trop. » Ce *trop* signifie qu'Élie courra plus tard de grands dangers en s'obstinant à poursuivre Malpriant, le dixième combattant.

XV. — L'allocution du jongleur à ses auditeurs est plus longue dans S (p. 112). — F oublie de mentionner, après le v. 510, que le cheval d'Élie s'abat de fatigue; cette mention est utile, puisque plus loin on constate que le cheval s'est reposé (F, v. 539; S, p. 113).

XVI. — Les deux rédactions concordent.

XVII. — S ne dit pas que le combat entre Élie et Malpriant ait lieu près d'un gué dans une île (F, v. 541). — F ne parle pas de la rapidité exceptionnelle du cheval (S, p. 113-114), qui justifie le désir qu'ont tour à tour Malpriant et Élie de posséder un pareil destrier.

XVIII. — Le nom de Brandone, cité par F (v. 562), est encore un nouveau nom à ajouter à ceux qui peuvent désigner les païens tués précédemment par Élie.

XIX. — Après le v. 581 de F, il faut supposer une lacune, car dans S (p. 114) Guillaume fait allusion à la longue absence d'Élie qui a dû être attiré jusqu'au gros de l'armée. — On remarque aussi dans S (p. 115) une lacune comblée par F : « Coupe nos liens, » dit Guillaume à un vilain qui passe, « que nous soyons libres. » — « Excellent seigneur, » dit le vilain, « *que puis-je faire?* J'ai sept enfants à élever, je suis pauvre et misérable... » S ne dit pas que Guillaume a proposé au vilain de lui donner des chevaux pour prix de sa peine; ce à quoi le vilain répond : « *Qu'en ferais-je?* Je n'ai pas de quoi les nourrir, je suis pauvre, etc. » — Nouvelle lacune dans S, qui ne parle pas des plaintes du vilain contre son maître (F, v. 602). — A la fin de la laisse, c'est, au contraire, F qui abrège, et l'énumération des présents faits au vilain par Guillaume est beaucoup plus complète dans S (p. 115).

XX. — La rédaction est plus courte dans S, qui ne dit rien (p. 116) de l'armement de Guillaume et des siens (F, v. 632-638).

XXI. — Les allusions littéraires ne sont pas les mêmes dans F (v. 654-655) et S (p. 117) : au lieu de *Gauvain*, de *Pilate* et de *Mordrant l'aïrous*, S parle de *Gafer le fort*, de *Margant l'irascible* et de *Golafre le furieux*. — F n'a pas la phrase finale où S compare Guillaume et ses compagnons à des héros chrétiens ressuscités pour défendre le royaume; ce trait, du reste, paraît plutôt être ajouté par le rédacteur norvégien.

XXII. — La comparaison du commencement est différente dans F et S; dans l'une, Guillaume est comparé à un lion (p. 117); dans l'autre, à un faucon (v. 659); cette dernière est plus habituelle aux trouvères français. — S ne cite pas les noms des païens tués, énumérés par F (v. 666-667). — S ne parle pas (voy. plus haut laisse V) du messager tué, qui retarde l'arrivée des chevaliers. — Le païen tué par Élie est dans S (p. 118) Tanabré d'Alexandrie; dans F (v. 688), c'est au contraire Ataignant, frère de Rosemonde, leçon bien préférable à l'autre, puisqu'elle explique pourquoi plus tard Élie craint tant d'être fait prisonnier par Macabré (cf. v. 1300), père d'Ataignant.

XXIII. — Dans S, les vingt chevaliers envoyés au secours d'Élie par Julien sont tués (p. 118); dans F, au contraire, dix seulement sont tués. Les dix autres sont faits prisonniers; c'est ce qui explique plus loin dans S (p. 136) la présence de chevaliers français, gémissant dans les prisons de Sobrie. S a d'autant plus tort de faire tuer tous ces vingt chevaliers, qu'au commencement de la laisse suivante, Élie se plaint de ce que les hommes ont été tués *ou* faits prisonniers (S, p. 118).

XXIV à XXVIII. — F ne connaît pas la légende du Juif et de saint Martin (S, p. 119), qui doit être originale. — Les deux rédactions concordent, d'une part, jusqu'au v. 775 de F et, de l'autre, jusqu'à la phrase de S (p. 120) : « ils trouvèrent que le « conseil... » A partir de là, il y a bouleversement dans l'ordre des laisses (voy., p. 120-128, les chiffres correspondants des laisses de F et de S). La faute est évidemment imputable au ms. fr. qui a servi au traducteur norvégien. Le scribe ou plutôt le jongleur, auteur de ce ms., a confondu dans sa mémoire les deux tirades en *u* XXIV et XXVI, et après le v. 775 a placé les vers 873 et suivants. Cette première erreur a jeté le trouble dans l'ordre des épisodes : le jongleur a tâché d'y remédier en multipliant les transitions. Mais, dans son oubli, il avait sauté les vers 776-794, où est racontée la manière dont Élie apprend son nom à Guillaume, qui se hâte alors de courir à Saint-Gilles demander secours à Julien. Il fallait pourtant expliquer la présence de Guillaume à Saint-Gilles ; le jongleur n'a trouvé rien de mieux que d'imaginer que le roi Louis a envoyé Guillaume en ambassade auprès de Julien pour le prier, lui et son fils, de venir à la cour. C'est alors que, par hasard, Guillaume apprend qui est Élie, et il raconte à Julien les malheurs de son fils (S, p. 124-125). Tout ceci est évidemment contraire à l'original, car depuis le commencement du poème, depuis le moment où Guillaume, venant au secours de Louis (v. 222), est fait prisonnier par les Sarrasins, il n'a pas revu Louis et n'a pu, par conséquent, être chargé par lui d'un message. Il faut donc admettre que tout ce passage est de l'invention d'un jongleur. Mais la fin de l'épisode est, tout au contraire, beaucoup plus rationnelle dans S que dans F. Le remanieur de la rédaction française, préoccupé déjà sans doute de relier le poème d'*Élie de Saint-Gille* à l'*Aiol*, fait demander secours par Julien à toute la famille de Monglane et surtout au roi Louis, qui devra apparaître à la fin pour marier Avisse, sa sœur, à Élie (v. 863-869) ; dans S, Julien envoie à la recherche de son fils un marchand nommé Thomas, dont « on ne raconte plus rien « dans cette histoire » (p. 125), il est vrai, mais qui, dans le poème primitif, devait sans doute amener le dénouement. — Dans l'ordre des laisses, le jongleur a entamé une première fois (p. 121) la laisse XXVII, qu'il a reprise ensuite (p. 126) ; il a aussi, pour plus de logique, interverti la laisse XXVIII et la fin de la laisse XXVII. — L'énumération des païens envoyés par Macabré à la poursuite d'Élie est incomplète dans F et dans S ; F oublie de mentionner Hector (v. 1007) et S (p. 128) ne parle pas de Malgant (= Baligant). Voy. plus loin la laisse XXXIII.

XXIX. — Au commencement, F n'a pas tout un passage de S où Macabré fait à Rosemonde l'éloge d'Élie (p. 128-129), ce qui fait naître l'amour de la jeune fille pour le jeune homme. — Par contre, le combat entre Élie et le roi Codroé (F, v. 1024-1041) n'existe pas dans S. C'est une lacune, car, dans le texte primitif, Élie devait sans doute tuer Baligant, dont un remanieur aura fait Codroé, peut-être pour le besoin de l'assonance. Voy. la laisse XXXIII. — Il y a quatre larrons dans F (v. 1054), trois dans S (p. 129). — La présentation d'Élie aux larrons (v. 1061-1092) manque dans S ; les vers qui montrent Élie privé de son heaume expliquent le sans-gêne avec lequel le traitent les larrons ; ils appartiennent certainement à l'original. — F ne parle pas de la première demande que les larrons font à Élie relativement à son cheval ni des menaces qu'ils profèrent contre lui (S, p. 129).

XXX. — Les deux rédactions se complètent l'une l'autre : dans S, Élie donne en paiement aux larrons un faux denier (p. 131) ; ceci manque dans F. — Le chef des larrons veut s'élancer sur Élie (v. 1151) ; cet incident n'existe pas dans S. — Élie reproche ses vols au chef des larrons : lacune dans F.

XXXI. — Après le v. 1174, S ajoute certains détails qui ne se retrouvent pas dans F, entre autres la promesse que Galopin fait à Élie de lui livrer des trésors.

XXXII. — F commence par un vers qui prouve que Galopin vient de dire à Élie qu'il n'est pas païen ; S ne fait pas mention de ce fait. — Toute la fin de l'histoire de Galopin :

la façon dont il est tombé au pouvoir des larrons, l'hommage qu'il fait à Élie (v. 1192-1203), épisodes appartenant certainement à l'original, manquent dans S. — Pour le combat soutenu par Élie et Galopin contre Jossé, Gontier et Hector, l'ordre n'est pas le même dans les deux rédactions : dans F, Élie, attaqué d'abord par Hector, est blessé par lui, puis successivement par les deux autres païens. Galopin vient à la rescousse, tue Gontier et Hector, et met en fuite Jossé. Dans S, Élie a d'abord Jossé pour adversaire. Galopin tue alors Gontier. Jossé est mis en fuite par Élie et Hector est tué par Galopin. Cette dernière version doit certainement se rapprocher moins de l'original que la première; car il s'agit surtout dans cette laisse de mettre en lumière la valeur de Galopin qui vient à bout des trois païens.

XXXIII. — Dans S (p. 134), Jossé annonce à Macabré qu'Élie a tué Hector, Gontier et Malgant; ce Malgant est le Baligant de F (v. 1007), envoyé à la suite d'Élie, et que F a changé aussi (v. 1026) en Codroé. — La fin de la laisse, à partir du v. 1257, est très abrégée dans S.

XXXIV. — F n'a pas, après le v. 1295, quelques vers utiles, représentés dans S (p. 134), où Galopin explique pourquoi Macabré lui en veut personnellement. — Ici, non plus que plus haut (v. 688), S ne parle d'Ataignant, fils de Macabré. — Quelques vers manquent dans F, après le vers 1306, pour annoncer l'arrivée des païens.

XXXV. — Élie, blessé grièvement, conseille à Galopin de l'abandonner (S, p. 135). Le texte de F est plus naturel : Élie prie Galopin d'aller à la recherche d'un pèlerin qui veuille bien partir pour Saint-Gilles et demander secours à Julien.

XXXVI. — Les vers 1349-1359 de F, répétition de la fin de la laisse précédente, manquent dans S. — Dans F, Rosemonde adresse sa prière au Dieu des chrétiens et s'engage à renier Mahon; dans S, au contraire, elle s'adresse à Mahomet, ce qui est tout naturel, puisque, dans tout le reste du poème et principalement dans la laisse L, elle invoque le nom du dieu païen. — Plus loin (p. 136), S ajoute une phrase relative aux prisonniers francs, faits par les Sarrasins (voy. plus haut F, v. 717). Ces prisonniers sont sans doute aussi les mêmes que ceux dont parle Rosemonde (F, v. 1648), quand elle apprend à Élie qu'elle a près d'elle des chevaliers de Julien.

XXXVII. — S (p. 137) allonge un peu la description du costume et de la beauté de Rosemonde. — S ne mentionne toujours pas la mort d'Ataignant (F, v. 1427). — F parle de *deux* herbes (v. 1446) et S de *quatre* (p. 138).

XXXVIII. — L'énumération des chevaliers dont Élie regrette l'absence est moins complète dans le ms. *A* que dans F et dans les autres mss. norvégiens.

XXXIX. — Cette laisse n'est représentée dans S que par trois lignes correspondant aux vers 1483-1485. — Le reste de la tirade de F, où Rosemonde nomme à Élie tous les prétendants à sa main, doit cependant être original, car elle annonce la venue de Lubien.

XL et XLI. — Les deux laisses n'ont, dans F et S, qu'une légère différence : dans F, c'est Caïfas ou Jossé que Lubien combattra, si on lui refuse Rosemonde ; dans S, c'est le roi Macabré lui-même.

XLII. — F a omis, à la fin, toutes les menaces proférées par Macabré contre le messager (S, p. 140).

XLIII. — Les deux versions sont à peu près semblables.

XLIV. — Cette laisse, répétition partielle de la précédente, est passée par S. — Les vers où Macabré déshérite son fils sont introduits par S à la fin de la laisse XLVI.

XLV. — S ne reproduit pas le proverbe fr. (v. 1565) :

Cil qui tranche son nés, il vergonge sa face.

XLVI. — Jusqu'au v. 1606, les deux versions se ressemblent. — A la fin paraît l'équivalent du passage de la laisse XLIV indiqué plus haut. — Les vers 1634-1676, qui contiennent la description de la tour, manquent dans S. — S nomme le chambellan (F, v. 1608) qui, avec Jossé (S, p. 142 et 143,

c

note 4), se rend auprès de Rosemonde ; il l'appelle Omer. — S s'étend longuement sur la parure de Rosemonde (p. 143-144).

XLVII. — Les deux rédactions concordent.

XLVIII. — Cette laisse, répétition de la précédente, manque dans S.

XLIX. — Les deux rédactions concordent.

L. — Après le v. 1777, il y a une lacune dans F ; Macabré doit promettre à Rosemonde de la marier à celui qui le délivrera de Lubien (S, p. 145).

LI et LII. — Les deux rédactions concordent. — S, cependant, ne cite pas la légende de la femme de Salomon (F, v. 1793-1798).

LIII. — Les deux rédactions concordent.

LIV. — F décrit plus longuement que S le chemin suivi par Galopin v. 1854-1858). — Au v. 1874, F fait dire à Galopin que les présents offerts à Lubien lui sont envoyés par le seigneur de sa terre ; dans S, le rédacteur, qui prépare déjà sa fin où figure Ruben, frère de Jubien (= Lubien), annonce ces présents comme donnés par Ruben, qu'il gratifie du titre de prince d'Alexandrie ; ce qui est incompatible avec toute la donnée du poème qui fait de Jossé le roi d'Alexandrie.

LV. — Toute cette laisse est abrégée dans S. — La description du cheval est plus longue dans F (v. 1890-1900) que dans S (p. 149). — F a de plus, (v. 1908-1914), un trait de caractère et de fine observation, qui manque dans S. C'est le refus, que simule Galopin, de voir le cheval de Lubien, pour donner plus d'envie au roi païen de le lui montrer. — S oublie de mentionner aussi que le cheval est entouré de trente gardes (F, v. 1929-1935).

LVI. — La prière de Galopin (F, v. 1961-1965) manque dans S (p. 149). — Les deux rédactions diffèrent : dans S, Galopin tue les gardiens (p. 150) ; dans F, il se contente de les endormir avec des herbes enchantées des *puis de Garnimas*, que ne connaît pas le rédacteur de S ; ce doit être la rédaction primitive. — Le reste est abrégé dans S.

LVII. — Un nouvel épisode (F, v. 2025-2041), qui rappelle de près la laisse précédente, manque dans S. — F, à son tour, ne contient pas le passage où Galopin s'empare de l'épée de Lubien (dont il est parlé plus loin, aux vers 2090-2093, et aux vers 2279-2281), et où il a un moment l'idée de le tuer (S, p. 151).

LVIII. — Les deux rédactions concordent. — S a une phrase (p. 151-152), relative à l'épée de Lubien, que F a certainement passée.

LIX. — Les noms des païens qui arment Lubien ne sont pas les mêmes dans les deux rédactions.

LX. — Les deux versions sont assez différentes, comme forme, à la fin de la laisse, bien que le fond reste le même.

LXI. — Le texte original devait évidemment mentionner le nom de Malpriant comme le font F (v. 2118) et les mss. C et D de la version norvégienne (p. 153, note 4). — La différence dans les deux textes est sensible relativement aux sentiments de Macabré : dans F, Macabré est heureux de voir Élie qui sûrement va lui rendre son royaume v. 2142-2145) ; dans S (p. 154), il maudit sa fille qui lui a fait jurer de protéger son plus grand ennemi. Cette dernière leçon appartient plus probablement à la leçon primitive.

LXII. — Les deux rédactions concordent, sauf à la fin, où S passe les vers 2186-2187, qui rendent Galopin témoin des coups donnés par Caïfas à Rosemonde ; Galopin plus loin (v. 2338) doit tout raconter à Élie.

LXIII. — Dans F, la capitale de Lubien est Baudas (v. 2196) ; dans S, c'est Damas (p. 156). — Dans F (v. 2200), ce qui n'existe pas dans S, Lubien propose à Élie sa fille Esclabonie. Ce fait est nécessaire, puisqu'il attire la réplique d'Élie, invoquant son amour pour Rosemonde.

LXIV. — La narration du combat n'est pas tout-à-fait semblable dans les deux rédactions. F, entre autres différences, dans cette laissse, ne parle pas de Prinsaut, qui veut piétiner Lubien, mais est retenu par Élie (S, p. 156) ; il ne mentionne le fait qu'à la laisse suivante. — Les noms des compagnons de Lubien ne sont pas pareils dans les deux textes : Gontable d'Orlie de F (v. 2237) est sans doute le même que Gondracle de Clis de S (p. 156). Quant à Tornebrans (v. 2236), il reparaît dans S (p. 158) sous le nom de Tanabraz.

LXV. — Les deux rédactions concordent.

LXVI. — Les noms des païens qui attaquent Élie diffèrent dans les deux versions. Jonacle, cependant, de F (v. 2306) peut être assimilé à Jonatré, ou plutôt Jonatre de S (p. 158). Cf. plus haut Triacle, v. 364, et Tiatre de S, p. 108, note 1. — Dans F (p. 158), Élie poursuit les païens et en tue encore un ; ceci manque dans F.

LXVII. — Les deux rédactions concordent.

LXVIII. — Dans F, Élie tue Caïfas (v. 2348-2353) ; dans S (p. 159-160), il le blesse seulement. C'est un artifice du rédacteur qui veut plus tard faire reparaître ce personnage à la fin du poème (p. 166) pour le faire tuer, alors seulement, par Élie.

LXIX. — Au commencement de cette laisse, les deux rédactions sont assez dissemblables. — Dans F, Élie est poursuivi par les païens, tandis que Rosemonde prie pour lui : Élie se réfugie alors dans la tour de Rosemonde. Dans S, l'attaque des païens n'est pas mentionnée : on ne sait donc comment s'expliquer pourquoi plus tard (p. 161) Élie propose à la jeune fille de s'enfermer dans une tour. — Dans F, Rosemonde prend l'engagement envers Dieu de se faire chrétienne ; dans S, elle propose à Élie de l'épouser : il refuse, car elle est païenne.

A partir du v. 2418 de F (voy. S, p. 161), les deux textes se séparent complètement et n'ont plus rien de commun.

Je suis donc forcé de m'arrêter ici dans l'examen comparatif des rédactions française et norvégienne. Il est facile de voir par tout ce qui précède combien les deux textes sont défectueux ; ils offrent tous deux de nombreuses lacunes, et il n'est guère possible d'obtenir la physionomie générale du poème qu'en la composant de divers traits empruntés successivement à l'une ou à l'autre des deux versions. On peut cependant remarquer que le ms. français est le plus souvent en faute, et présente un texte notablement inférieur à celui du norvégien. Les lacunes qu'on y constate sont dues à la négligence ou à la légèreté du scribe, qui souvent laisse de côté les vers les plus nécessaires au développement et à la marche du poème, sans se douter de son erreur ; dans la version scandinave, au contraire, à part quelques exceptions que j'ai relevées plus haut, c'est avec une intention bien marquée que le rédacteur a omis certains passages ; il ne répète jamais, par exemple, les laisses similaires qui n'ajoutent rien à l'action du roman ; de même aussi il supprime presque toujours les allusions littéraires qu'il ne comprenait pas ou que n'auraient pas comprises ceux auxquels il s'adressait ; bien plus, on sent que ce rédacteur s'intéresse réellement aux personnages de son poème, qu'il les suit dans leurs aventures, et quand l'un deux, comme le marchand Thomas (p. 125), ne se montre qu'incidemment pour disparaître aussitôt, le scribe a bien soin de noter le fait et d'appeler l'attention à ce sujet. En un mot, les fautes de S sont généralement celles d'un homme lettré et intelligent ; celles de F proviennent toutes de l'étourderie et de la négligence d'un scribe ignorant.

Cette différence entre les deux versions apparaît aussi bien tranchée dans la manière dont les deux rédacteurs ont traité la fin du poème. On a vu plus haut qu'à partir d'un certain point, les deux textes sont absolument différents : dans F, Elie, réfugié avec Rosemonde dans une tour, envoie un messager à Julien, qui vient avec toute la geste de Monglane au secours de son fils ; Élie, forcé de renoncer à Rosemonde, se marie avec Avisse, sœur du roi Louis, et Galopin épouse Rosemonde. Dans S, le dénouement est plus logique : Galopin, envoyé en ambassade par Élie, ramène Julien et tous ses parents ; de nombreux combats ont lieu, et Élie finit par épouser sa bienaimée Rosemonde, tandis que sa sœur Orable épouse Gérard, fils de Guillaume d'Orange. Comment donc expliquer cette divergence, et quelle était la rédaction originale ? M. Koelbing, après avoir un instant admis que le scribe norvégien pouvait bien ne pas avoir connu la fin du texte français et avait peut-être lui-même fabriqué une fin, préfère cependant [1] une seconde hypothèse toute contraire, et conclut en disant que c'est le remanieur français qui a changé la fin et s'est écarté de l'original représenté par la *saga*.

Il est bien évident que la fin, telle qu'elle est donnée par le texte francais, n'existait pas dans l'original ; on y voit, en effet, reparaître un personnage, Corsaut de Tabarie (v. 2428), qui avait déjà été tué au v. 341 ; de plus, l'intention où est le remanieur de relier, comme on l'a vu plus haut (p. xx), l'*Élie de Saint-Gille* au poème d'*Aiol* amène diverses circonstances certainement étrangères à la rédaction primitive : l'ap-

---

1. *Beitraege..*, p. 131-133.

parition, par exemple, au v. 2566 de Marchegai (le cheval d'Élie dans l'*Aiol*), comme aussi l'empêchement canonique au mariage de Rosemonde et d'Élie. Mais, si la fin de F a été imaginée par un remanieur, est-ce une raison de croire que la *saga* possède la version primitive ? Tel n'est pas mon avis ; je pense, au contraire, que le norvégien, non plus que le français, ne fournit une fin qui ait les caractères d'un poème original. Rien d'individuel, comme l'a remarqué lui-même M. Koelbing, dans les épisodes qu'il renferme, rien de nouveau dans la marche de l'action qui devient banale et impersonnelle ; de plus, la présence d'un nouveau *prince d'Alexandrie,* Roben, est en contradiction flagrante avec tout le reste du poème, où ce titre est donné à Jossé ; enfin, la mention du mariage d'un fils de Guillaume d'Orange, Gérard, avec Orable, fille de Julien de Saint-Gilles, ne peut appartenir à la rédaction primitive. Un tel mariage, outre qu'il est contraire à ce que fait prévoir le commencement du roman où Orable (= Olive) est fiancée à Guérin de Porfrettiborg (= Piereplate), créerait un nouveau lieu de parenté entre les familles de Saint-Gilles et de Monglane, que n'auraient pas manqué de signaler les auteurs de quelque autre chanson de geste. L'ignorance où nous sommes à ce sujet prouve bien, d'une part, que le fait n'appartient pas à l'histoire littéraire du moyen âge et, de l'autre, qu'il a dû être inventé postérieurement comme toute la fin de la *saga*. J'ajoute, et c'est là un argument capital, que l'oubli où la *saga* laisse le marchand Thomas (p. 125), qui originairement devait retrouver Elie, est une preuve contre l'authenticité de la fin de la version norvégienne.

Force est donc de reconnaître que ni le texte français ni la *saga* ne représentent la fin de l'original : les deux versions dérivent l'une et l'autre, par une série d'intermédiaires que je n'ai pas à rechercher, d'un même ms. incomplet qui faisait finir la chanson primitive d'*Élie* là où s'est arrêté le ms. *A* de l'édition de M. Koelbing (p. 161) : « Nous chercherons un « homme fidèle et nous l'enverrons vers mes gens « pour avoir secours. Et alors viendra ici Julien, le « duc de la ville de Saint-Gilles, et avec lui Guillaume « d'Orange et une foule des meilleurs chevaliers ; et « nous conquerrons toute la contrée, et tu seras bap- « tisée et faite chrétienne. » « Volontiers, » dit la « jeune fille, « si tu donnes à tes paroles plus de force « par un serment sur ta foi. » Ils parlaient ainsi, mais « ils n'étaient pas à la fin, car voilà leurs tribulations « qui se renouvellent. » Ici sans doute apparaissait Thomas, qui tirait d'embarras les héros de la chanson.

Telle devait être la fin du ms. incomplet qui a servi de base aux deux rédactions française et norvégienne ; les auteurs de ces deux rédactions ont vu qu'il y avait dans ces quelques lignes les éléments d'une fin ; ils ont donc séparément composé une fin à l'*Élie*. Dans chacune des deux fins, on retrouve les trois faits principaux qui ont servi de points de repère aux développements des deux versions : 1° l'envoi d'un messager à Saint-Gilles ; 2° l'arrivée sous les murs de Sobrie de Julien et de Guillaume d'Orange ; 3° le baptême de Rosemonde. Mais les détails diffèrent du tout au tout. Le rédacteur du poème français, préoccupé surtout de rattacher l'*Élie* à l'*Aiol,* n'a pas pris la peine de changer l'assonance de sa dernière laisse, qui compte ainsi 418 vers assonant en *é ;* quant à l'auteur de la version norvégienne, il a fini d'une façon normale en mariant Élie et Rosemonde; ce devait être ainsi que finissait l'original.

Mais ici se pose une question : la fin de la version norvégienne est-elle l'œuvre d'un remanieur français dont le texte aurait été traduit, ou l'œuvre d'un rédacteur scandinave? Je ne saurais répondre catégoriquement à cette question. Cependant je suis porté à croire que l'auteur de la fin de la *saga* est un norvégien, peut-être l'abbé Robert, scribe du roi Hakon [1], qui, s'étant d'abord arrêté dans le ms. *A* à la fin du ms. original, a ajouté ensuite une fin. Ce n'est, je le répète, qu'une supposition, suggérée par la banalité des épisodes et des descriptions de cette fin, qu'un remanieur français eût rendue sans doute plus vivante. Quoi qu'il en soit, pour établir les rapports du texte français et de la *saga,* il ne faut considérer que la partie commune des deux versions, puisque les deux fins, composées séparément par des auteurs différents, ne peuvent servir de termes de comparaison.

1. Voy. p. 161.

Après avoir étudié successivement le roman d'*Élie de Saint-Gille* au point de vue de la langue et de la versification, après avoir examiné la date de sa composition, son origine, son développement à l'étranger et sa place dans l'épopée française du moyen âge, il me reste quelques mots à dire sur la manière dont a été faite cette édition. Contrairement à ce qui avait eu lieu pour l'*Aiol,* où les corrections avaient été multipliées, j'ai respecté ici, presque jusqu'à la servilité, l'orthographe bizarre du scribe, en corrigeant toutefois les fautes contraires à la mesure du vers. Pour la *saga,* j'ai suivi, d'aussi près que possible, la traduction allemande de M. Koelbing ; j'ai seulement ajouté, en marge, la concordance avec la numérotation des laisses du poème français. Je me suis permis aussi de ramener, quand cela se pouvait, les noms propres norvégiens à la forme donnée par le français. Un *Glossaire* vient ensuite, qui n'est que le complément de celui d'*Aiol :* je n'y ai pas admis, en effet, les mots [1] ou les formes qui avaient déjà été expliqués dans celui-ci. Un *Index de noms de personnes et de lieux* complète le volume.

En terminant cette introduction, qu'il me soit permis d'adresser mes meilleurs remerciements à mon

---

[1]. Une faute d'attention a fait traduire dans le Glossaire d'*Aiol* ateriel par *râtelier* (v. 1043) ; ce mot, plus connu sous la forme *hasterel,* n'a ici rien de commun avec *hasta* et signifie *nuque*.

commissaire responsable, M. Gaston Paris, qui, au cours de cette publication, ne m'a ménagé ni les conseils ni les avis salutaires.

Paris, 25 novembre 1880.

G. R.

ELIE DE SAINT GILLE

Ichi commenche li vraie estoire de Julien(s) de Saint Gille, lequés fu pere Elye duquel Aiols issi, ensi con vous orés el lirre.

I

    R faites pais, signor, que Dieus vous beneie, *(f° 76)*
    Li glorieus del chiel, li fieus sainte Marie !
    Plairoit il vous oir .III. vers de baronie ?
Certes, chou est d'un conte qui fu nés a Saint Gille.
5   Signor, il vesqui tant que la barbe ot florie ;
    Ains ne fist en sa vie traison ne boisdie,
    Ains ama mout forment le fieus sainte Marie
    Et mout bien honora mostier et abeie,
    Et si fist bons pons faire et grant ostelerie ;
10   Juliens ot a non, mout [ot] grant signorie.

---

1 *Miniature avec la rubrique placée en tête du poème.* — 9 pont

.I. jor(s) estoit li quens en se sale perine,
U que il voit ses homes, si lor commenche a dire :
« Signor baron, » dist il, « li cors Dieu vous garisse !
Il a mout bien .c. ans mes armes portai primes,
15 Ainc puis ne fis nul jor traison ne boisdie
Dont nus hon crestiens perdist onques la vie.
Sor sarrasine gent euc je tous jors envie :
Par de desous Biaulande en mi la praierie
En ochis je, signor, en .i. jor plus de quinse,
20 Ja mais nen ert par moi, je quic, joste furnie
Ne nule enpointe faite ne lance sorbrandie.
Or refaiche autretel mes gentius fieus Elye :
Des or mais me convient reposer et bien vivre,
Bien boire et bien mangier, reposer a delivre.
25 J'ai encor ma mollier que je mout aim et prisse ;
Jou ai de lui .i. fil et une bele fille :   (b)
Amenés les moi [tost], ses verai mes enpires. »
Et il si firent lors, [la] en i corent quinse,
Les huis ont desfremés et les cambres ovrirent,
30 Elye i ont trové et sa seror Olive :
Droit de devant lor pere les menerent et guient.

II

Juliens se seoit ens el palais de marbre,
Tout entor lui sa gent et son barnage.
Il les a apelés comme preudon et sage :
35 « Signor, » fait il, « li cors Dieu bien vos fache !
Bien a .c. ans premier portai mes armes,
Ne puis mais paine endurer de bataille.
De ma mollier que je mout pris en haste
Ai je .i. fil, Dameldé le me salve !
40 Et une fille, Olive la bien faite ;

Or le me quiert Garin de Piereplate ;
Mais mout est jovenes por avoir mariage.
Veés mon fil qui est en cele sale :
Gent a le cors et lees les espaules ;
45 Mout me mervel confais est ses corages,
S'il vaura estre, comme destriers en garde,
Moine reclus a Noel u a Pasques.
Or deust estre a Paris u a Chartes
Ou en Espaigne u au roi de Navaire,
50 Et servist tant Loeys le fieus Charle
Que de son fief eust [grant] heritage.
J'en conquis tant, quant fui de son eage,
Dont j'ai encore .IIII. chastieus en garde
Et .III. chités et fretés jusqu'a quatre ;
55 Mais, par l'apostle que on requiert en l'arche,
Aler s'en peut et tenir son voiage. »
Elyes l'ot et tressailli le table,
Aler s'en vaut, quant li vieus le regarde :
« Tais toi, lechieres, li cors Dieu mal te fache !
60 S'or t'en aloies ensi sans guienage,
Tost diroit on a Paris u a Chartres :
Veés le fil Julien a la barbe, *(c)*
Par maltalent l'a cachiet de sa marche.
Ains te donrai mon destrier et mes armes :
65 S'avra[s] l'espee que je portai de Trapes,
Quant Aimers i fist le vaselage,
Qu'il en ochist Anseis de Cartage :
Çaindrai le toi par le resne de paile.
En mi ces prés sor la riviere large
70 Une quintaine metrai sor .II. estaces,
Et s'i avra .II. escus de Navaire
Et .I. auberc dont tenant ert la maille,
Et s'i feras .I. cop par vaselage ;
Se tu le perces et tu l'auberc desmailles,
75 Lonc le proeche le te ferai je auques ;
Et se je voi que tu ensi le faches

Qu'a honte tort n'a moi n'a mon lignage,
N'en porteras del mien qui .1. seul denier vaille,
Moi et ma fille demorons en mes marces :
80 Quant je morai, siens ert mes iretages.

III

— Pere, » che dist Elye, « puis que vous le volés,
Or me faites les armes et le destrier mostrer,
Et faites le quintaine drechier en mi le pré,
Que, par cel saint apostle c'on quiert en Noiron pré,
85 Quel que soit que je prenge, soit proeche u bonté,
Ja mais ne girai nuit dedens vostre ireté. »
Li baron en sospirent environ de tout lés,
Meisme la contesse en commence a plorer.
Ele est venue au conte, si commence a crier :
90 « Merchi, » dist ele, « sire, por les sains que fist Dé !
Nous n'avons mais nul oir fors cesti qui est ber :
Car le laissiés el resne garir et converser;
Car s'or nous sordoit guerre a nesun de no pers,
Qui nous feroit les jostes et les estors campés?
95 — Tais, fole ! » dist li quens, « trop peut on reposer :
Proeche et ardement doit on bien achater.
Par saint Piere de Rome, ja sera adoubés.
S'il avoit or les armes, par la foi que doi Dé, (d)
Mar seroit en ma tere ne veus ne trovés.
100 Salatré, » dist li quens, « mes armes m'aportés. »
Et chil li respondi : « Volentiers et de grés. »
Et Elye s'en arme, li cortois et li ber.
Il a vestu l'auberc, si a l'iaume fremé ;
Li vieus li çaint l'espee a son senestre lés :
105 Il a hauciet le paume, se li done .1. cop tel
Por .1. poi ne l'abat et nel fist enverser.
Et quant le voit li enfes, le sens quida derver ;
Il dist entre ses dens coiement a chelé :

« Dan vieus, mout estes faus et gangars et enflés !
110 Se l'eust fait .i. autre, ja l'eust comperé ;
Mais vous estes mes peres, ne m'en doi airer. »
On li trait en la place .i. destrier sejorné,
Et Elies i monte, qui gentieus est et ber ;
Il geta a son col .i. fort escu bouclé
115 Et a pris en son poing .i. fort espiel quarré ;
Et on fait la quintaine tost drechier ens el pré.

IV

Signor, franc chevalier, bien l'avés oi dire,
Quant bachelers s'adoube, jovene de barbe prime,
Por la joie de li li autre s'esbaudissent.
120 Si firent il le jor, quant montés fu Elye,
Tel[s] .vii^c. en i ot, qui tout le beneissent ;
Mais onques lor proiere[s] point de bien ne li fissent,
Car ains que soit li vespres ne sonee complie,
Sera près de la mort et de perdre la vie.
125 .Xx. chevalier s'atornent maintenant en la vile,
Por l'amor de l'enfant ont tout lor armes prisses,
Entr'aus juent et gabent et behordent et rient,
Fierent en le quintaine mout grant cop a delivre.
Juliens va avant, si lor commenche a dire :
130 « Signor, estés en sus, li cors Dieu vous garisse !
Si laissiés mon enfant trestorner a delivre :
Anqui me mostera de ses chevaleries. »
Il se traient ariere, et li enfes s'aire
Et fiert en le quintaine mout grant cop a delivre, (f° 77)
135 Les escus a perciés et les aubers des(c)lice(s),
Les estaces abat et toutes les debrisse.
Quant le voit Juliens, si commencha a rire ;
Il est passés avant, se li commenche a dire :
« Biaus fieus, mout serés preus, li cors Dé vous garisse !
140 Des or(e) vous doins ma tere, si l'arés toute quite.

— Sire, » che dist li enfes, « vous parlés de folie :
Ge ne me remanroie por a perdre la vie. »

V

Mout fu Juliens liés por l'amor de son fil ;
Quant il voit le quintaine en mi le pré gesir,
145 Il [l']en a apelé, belement li a dit :
« Biaus fieus, mout serés preus, Dieus vous puist beneir !
Des or vous doins ma tere et trestout mon païs.
— Sire, » che dist li enfes, « por noient l'avés dit.
Vous m'avés conjuré et desfendu ausi
150 Ja mais en vostre tere ne soie reverti,
Ne ja certes par moi ne serés escondit. »
Quant Juliens l'entent, a poi n'esrage vis :
« Por coi dont, maus lecieres, fel quiver de pu lin ?
Ançois ai .xx. chastiaus, la Dameldé merci,
155 Et .xiiii. chités et fretés jusc'a dis,
De coi tu seras sires et feras ton plaisir.
— Sire, » che dist li enfes, « por noiant l'avés dit :
Je ne m'en remanroie por les membres tolir. »
Or escoutés, signor, con al congiet li dist :
160 « Or va, que ja ne truisses ne terre ne païs
Que ne puisses conquerre vaillant .i. paresis !
Ja ne truisses tu home qui ja te soit amis !
Certes, ne feras tu, car li ceur le me dist. »
Li danseus en avale les degrés marberins,
165 Et li vieus le regarde, se li jete .i. souspir,
En son ceur le commande a Dieu qui ne menti.
Il en a apelé Aymer et Thieri
Et Gerardot le rous et Tibaut et Sanghin :
« Alés après mon fil, signor, je vous en pri,
170 Et tant menés des autres, des barons del païs, *(b*
Que .xx. soiés ensamble de chevalier[s] de pris :
Qui faura l'un de vous, de Dieu soit il honis ! »

Des or s'en va Elye, li preus et li gentis,
Dameldieu reclama, qui onques ne menti :
175 « Or me convient les maus et les paines soffrir ;
Mais, par cel saint apostle que quierent pelerin,
Mieus voil en autre tere tous jors estre caitis
Ja mais en la mon pere soie jor revertis. »
Toute jor chevalcha, que ne s'atarga nis
180 Tant qu'il eust mangiet ne beut .i. petit.
Si con il chevalcoit, si regarde el chemin,
Si voit .i. messagier desous l'onbre d'un pin :
De .iii. lances navrés, malement fu baillis,
Sa cervele li saut par des(o)us les sorcis ;
185 Et quant le voit Elies, cele part poignant vint,
Il l'en a apelé, belement li a dit :
« Amis, qui t'a che fait ? garde ne me mentir !
Orendroit maintenant en ert venjance pris. »
Quant l'entent li messages, si respont .i. petit :
190 « Et toi qu'en caut, biaus frere, chevalier, biaus amis :
Tele gent le m'ont fait, qu'esroient orains chi :
Ja t'aroit tous li pires craventé et ochis ;
Mais prent cel mien ceval, sor millor ne seis,
Et si t'en torne ariere, si pense del fuir.
195 Par chi passeront ja .iiii^m. Arabi :
Se de ceus peus estordre, Dieu aras a ami.
Dont je sui, tu le m'as demandé et enquis :
Je sui nés de Peitiers, fil le conte Amauri ;
Julien de Saint Gille est mes germains cousin.
200 Mes sire est a la court por son droit maintenir.
Je m'en alai en Franche droit au roi Loeys,
Lonc les puis de Monmartre, lés le cit de Paris ;
La se fist l'enperere coroner et servir.
En après cele joie .i. messagiers i vint,
205 Qui li conta noveles et dist qu'en son pais
Erent par forche entré paien et Sarrasin. (c)

177 tout

Quant l'entendi li rois, mout dolant en devint,
Ne daigna mander ost ne semonse ne fist;
A che de gent qu'il ot entra en son païs.
210 Nous passames le Maine et Auvergne et Berri,
Au costé de Bretaigne trovames Sarrasins.
A la premiere joste belement nos avint :
Plus de .c. en copames et les ciés et les vis;
A l'autre asaut après en abatismes vint;
215 Et quant che vint au tierc, fuissiemes desconfit,
Quant secor nous revi(e)nt de Dieu de paradis,
Et si fort les menames que fuissent desconfit,
Quant a forche lor salent .iiii^m. Arabi :
Cil encaucent les nos et atornerent si
220 Jusc'a pont des(o)us Loire, lonc la Roce de Clin.
Senpre fust l'enperere et detenus et pris,
Quant Guillaumes d'Orenge .i. gent secor i fist,
Il et Bertran ses niés, li preus et li gentis,
Et Bernart de Brubant et Hernaut li floris.
225 Cil maintienent le caple as boins brans acerins,
Puis furent li baron et retenu et pris.
L'enperere s'en torne, quant il fu desconfis :
Sarrasin l'encauchierent, qui l'orent envaï(s),
Ens es rues d'Angiers nous firent ens flatir.
230 Lors leva par la tere et li bruis et li cris,
Si se traient ariere paien et Sarrasin.
Tant me fist l'enperere et dona et promist
Que l'aloie nonchier Julien son ami,
A chou de gent qu'il a .i. secor li feist.
235 Quant je parti de l'ost, paien m'orent coisi,
Si m'ont el cors navré, malement m'ont bailli ;
Ja ne verai le vespre ne soleil acompli. »
Quant Elies l'entent, a poi n'esrage vis :
« Damoiseus, mar i fustes! tu eres mes cosins.
240 Par icel saint apostle que quierent pelerin,

212 nos]lor — 217 que]et

Por l'amor de ton cors tel vengance en ert pris,
Que au fer de ma lanche en convient morir .xx.» *(d)*
Il est passés avant, entre ses bras le prist,
Prist une feulle d'erbe, a le bouce li mist ;
245 Dieu(s) li fait aconnoistre et ses peciés jehir.
L'ame part del mesage, s'est alés a sa fin.
Et Elies monta el destrier arabi :
De che fera il ja et que fols et que bris,
Par son cors solement va contre Sarrasins.

VI

250 Des or s'en va Elies qui laisse le message.
Et Sarrasin esploitent, qui par iror cevaucent,
Et sont bien .iiii^m. estre chou des angardes :
Macabrés les conduist et Jossés qui les garde.
L'amiraus fist venir Rodoé de Calabre
255 Et le viel Aitropé qui rois fu de Barbastre,
Et si fu avoec aus et Gambons et Orables,
Et li vieus Josué, entre lui et Triacre,
Malpriant fu li dismes, que li cors Dieu mal fache :
« Signor, » dist l'amiral, « entendés mon corage ;
260 Mout nos est Mahomet fierement guionage.
Ces François avons tous desconfis en lor marces ;
Qui tel eskiec en maine bien doit estre sor garde :
C'est Guillame d'Orenge, qui faissoit les batailles,
Il et Bertran ses niés, li cortois et li sages,
265 Et Bernart de Breubant et Hernaut a la barbe.
Or les trameterons tous sor mer le rivage,
La troverons nos homes qu'aus avront en lor garde ;
Car se Sarrasin sevent Franc se doivent combatre,
S'en seront plus hardi et tornant et aidable. »
270 Et respondent paien : « Cis consaus est mout sages :

257 ciacre

Ensi le feron nous au los de ce barnage. »
Or s'en tornent paien et cis qui les pris gardent,
Et li autre remaignent, qui ariere se targent,
Por recerchier le pui et le mont et l'angarde,
275 Veoir se troveront nul home qui riens vaille,
Cheval ne palefroi ne boin destrier d'Arabe.
Il troverent Elie a l'issir d'un boscage;
Mais ainçois qu'il s'en partent lor fera tel damage *(fol. 78)*
K'escus i avra frais et armes de cors traites.

VII

280 Or s'en tornent paien, li .v. en vont devant,
Et li autre remaignent, qui se vont atargant,
Qui mainent nos François tant orgellousement ;
As fus et as bastons les vont forment batant,
Et Guillaumes d'Orenge s'en va mout dementant :
285 « Dameldé, » dist il, « pere, par ton digne commant.
Mar furent nostre cors, li preu et li vaillant :
Des or serons sor mer o sarrasine gent.
Dameldieu penst des armes par son commandement,
Car li cors sont torné a grant juisemant. »
290 Premerains l'entendi .i. paiens Rodoant ;
Il haucha le baston, ja ferist maintenant,
Quant il a regardé par mi le desrubant,
Et voit venir Elie sor son ceval corant.
Quant le voit li paiens, cele part vint poignant,
295 A sa vois qu'il ot clere s'escria hautement :
« Qui es tu, chevaliers, desor cel auferant ?
Cel destrier reconnois et tout cel garniment.
— Vasal, » che dist Elies, « en tient a vous noiant ?
— Oil, » dist li paiens, « je les avrai esrant.
300 — Tais toi, » che dist Elies, « trop me vas maneçant !

280 le .v.

Quant tu as si conquis trestous mes garnimens,
Mon auberc et mon elme et mon destrier corant,
Aras tu tel ensoigne, onques n'eus si grant.

VIII

« Sarrasin, » dist Elies, « tu le m'as demandé,
305 Comment jou ai a non et de quel lieu sui né :
Vois tu or cel plaiscié lonc cel bos en cel pré ?
Iqui est mes repaires et ichi fu je nés ;
Fieus sui a .I. provost qui a avoir assés :
Par sa fiere ricoisse m'a [il] hui adoubé.
310 Or m'en vois deportant mon destrier esprover.
Onques Dieus ne fist home qui de mere soit nés,
S'il demande bataille, que n'en soie aprestés.
Or vous voi de vos armes garnis et conraés ;
Ces prisons u presistes, que si mal demenés? *(b)*
315 Sont che vilain de vile u borgois de chité ?
— Nenil, » dist Rodoan, « mais baron naturel :
C'est Guillaumes d'Orenge, li gentieus et li ber,
Et Bertram, ses neveus, li preus et li senés,
Et Bernart de Brubant et Hernaut li menbrés. »
320 Quant l'entendi Elies, le sens quide derver ;
A sa vois qu'il ot clere commencha a crier :
« Paien, mar les cargastes, par les sains que fist Dés ! »
Il hurte le destrier par andeus les costés,
Vait ferir Rodoan en son escu listé,
325 Desor la bende d'or li a fraint et troé,
Le blanc auberc del dos desmailliet et fausé,
Enpoin le par vertu, si l'a mort craventé :
« Cuiver ! » che dist Elies, « Dieu doinst toi mal dehé !
Onques li miens lignages ne pot le tien amer. »

305 plancie

IX

330 Corsus de Tabarie voit Roboan a tere,
U il meurt et angoisse, ne demande confesse ;
Il reclaime diable[s], que il l'arme en portaisse[nt].
Il escria Elie .iiii. mos tout a certes :
« Cuiver, mar l'ochesistes, vous en perdrés la teste. »
335 Quant Elies l'entent, ne le prisse une nesple,
Ains hurte le destrier, se li lasque le resne,
Vait ferir le paien sor le targe novele,
Desor la boucle a or li fraint et esquartele,
Le blanc hauberc del dos li desmaille et desere,
340 Si que par mi le cors li mist l'anste novele,
Enpoin le par vertu, mort l'abat de la sele.

X

Quant Elies ot mort Rodoan de Calabre,
Corsaut de Tabarie jut envers en la place,
Li .iii. paien l'esgardent, qui dessendent l'angarde ;
345 Or s'i sont eslaissiet li felon mescreable,
Et li ber se desfent, que Dieus ait en sa garde.
Li premiers qu'il encontre n'ot talent d'oir fable,
Ains l'abati a terre con une raine plate ;
Li doi tornent en fuie et Elies les cache,
350 Et Gaidonet l'encauche, qui de mort le manace, *(c)*
Et vait ferir Elie sor le doree targe ;
Desor la boucle a or li a percie et quasse.
Mout fu boin li auberc, quant il n'en rompi maille,
Et li vasal sont preu quant il ne s'entrabatent.
355 Elie passe avant, se li toli le hanste,

333 tous

En mi le pré le jete, si a l'espee traite ;
Vait ferir le paien amont desor son elme,
Les pierres et les flors contre val en avale,
Tout le va porfendant enfressi qu'es espaules :
360 Li ber estort son cop, mort l'abat en la place.
Il broche le destrier, si reva ferir l'autre,
Le teste en fit voler devant lui en la place ;
Li .v. paien l'i voient, qui montoient l'angarde :
« Or esgardés, signor, » che dist li rois Triacles,
365 « Veés vous ce vasal qui le tertre en avale ?
Mout se fait orgellous et hardis par ses armes ;
Atendés .i. petit, g'irai a lui combatre,
Le destrier li taurai et trestoutes ses armes,
Si les departirons, si serons communable,
370 Ja n'en avra li .i. un denier plus de l'autre. »
Dist Jossés d'Alixandre : « Grant folie pensastes :
Hui matin par son l'aube, quant nous nos desevrames,
Compaignie jurames; faus est qui ne le garde :
Nous l'iromes tout .v. craventer et abatre.
375 — Couardisse seroit, » che dist li rois Triacle,
« Se nous aliemes .v. por .i. tou seul abatre :
Ja mais n'en seroit dit proeche ne barnage,
Paien s'en gaberont et li .i. et li autre.
Mahomet me confonge ! n'ait ja qui denier vaille
380 Qui de moi et de lui n'esgarde le bataille. »
Il hurte le destrier et le resne li lasque.

XI

Il hurte le destrier et li lasque le resne,
Il escria Elie .iiii. mos tout a certes :
« Ies tu, va, crestiens de le malvaise geste,
385 U se crois Mahomet qui le siecle governe ?

358 en deserre *cf.* v. 434

— Naie, » che dist Elies, « mès en Dieu le grant mestre ; *(d)*
Si sui nés de Saint Gille, de Provence le bele,
Fieus Julien au conte, a le chenue teste :
Avant hier m'adouba de ses armes noveles,
390 Car il me fu bien dit et conté tout a certes
Paien et Sarrasin sont entré en ma terre.
Je les vieng sorveoir, se trové peuent estre,
Bien les quic estormir, ains que vienge li vespres.
— Par mon cief, » dist Triacle, « trop grant deus vous apresse
395 Ce destrier vous taurai, si le menrai en destre,
A grant honte en serés abatu de la sele,
Les jambes vers le ciel et le cief contre terre. »
Quant Elies l'entent, ne le prisse une mesple ;
Il hurte le destrier, se li lasque(s) le resne ;
400 Vait ferir le paien desor son elme a perles,
Qu'il en a abatu et les flors et le cercle ;
Le blanc auberc del dos li desmaille et dessere,
Tout le va porfendant enfresi qu'en l'aissele :
Li ber estor son cop, si l'abat a la terre.

XII

405 Dist li rois Salatré : « Esgardés quel damage
D'un enfant de .xv. ans qui n'a gaire d'eage,
Tel vasal nous a mort et conquis par ses armes !
S'il m'atent .i. petit, g'irai a lui combatre :
Le destrier li taurai et trestoutes ses armes. »
410 Il hurte le destrier et le resne li lasque,
Et Elies le sien, que il bien point en haste.
Gran cos s'en vont doner sor les vermelles targes,
Sor les bendes a or les peçoient et quassent,
Mout sont boin li auberc, quant il n'en rompent maille,
415 Et li vasal sont preu, quant il ne s'entrabatent.
Li paiens trait l'espee qui bien luist et bien taille,
Et vait ferir Elie amont desor son elme,

Les pieres et les flors contre val en avale,
Le destrier consui par de derier l'espaule,
420 .Ⅱ. moitiés en a fait, li ber ciet en la plache :
« Par mon cief, » dist Elies, « or m'as tu fait damage!
Mon destrier m'as ochis, qui m'estoit guienage; *(fol. 79)*
Mout est boine t'espee ; faus es se ne le gardes !
Se le tenoie as puins, por le chité de Blaives
425 Ne le rendroie mie a mon frere carnable.
— Quiver, » dist li paiens, « con mar le convoitastes !
Mout est boine m'espee, si est bien a moi salve;
Ja n'en consievrai home qui en Dieu soit creable,
Je nen en cop le cief par desor les espaules.
430 — Voire, » ce dist Elies, « mais j'en rai chi .ɪ. autre
Que mes peres me çainst, Julien a le barbe,
Qui vous sera privee, se je puis, mout en haste. »
Il l'a saciet del feure, si l' a feru sor l'iaume,
Les pieres et les flors contre val en avale.
435 Li brans est trestornés desor le destre espaule,
Le brac li a tranchiet, dont se quidoit combatre,
A tout la boine espee li cai en la plache.
Quant Elies le voit, si le prent et esgarde :
« Paien, » che dist Elies, « li cors Dieu mal te fache !
440 Anqui poras veoir ques Dieus est plus verables,
Mahons u Apolin u Jesu qui tout salve ;
De meismes t'espee t'ira je honte faire. »
Il le drecha amont, si l'en feri sor l'iaume,
Tout le va porfendant enfressi qu'es espaules :
445 Li ber estort son cop, mort l'abat en la place.
Venus est as prissons qui gisoient soz l'arbre :
Ses peust desloier, gente cose eust faite.

418 en deserre *cf.* v. 434 — 420 ciet] cief — 446 sor

XIII

    Quant Jossiens voit mort Salatré son neveu,
    Le cors en .ii. moitiés, ne peut muer ne plor :
450 « Mahon et Apolin, mal dehet aiés vous!
    S'or ne faites justiche del quiver dolerous,
    Qui m'a mort devant moi le fil de ma seror,
    Le fer de ceste lance vous metrai el cors tout. »
    Il hurte le destrier des tranchans esperons,
455 Et a baisié le lanche a tout le confanon,
    Et vait ferir Elie sor son escu amont.
    Desor le bende a or li peçoie et confont,
    Le blanc auberc del dos li desmaille et desront, *(b)*
    Nu a nu lés le cors le roit espiel li coust :
460 « Par mon cief, » dist Elies, « tu es vasal mout prous.
    Volentiers m'ocesisses, s'en eusses laissor ;
    Mais Dieus m'aimme de ceur, qui me gara tous jours. »
    Il a traite l'espee dont a or sont li poing,
    Vait ferir le paien desor son elme amont,
465 Les pieres et les flors contre val en deront,
    Tout le va porfendant enfressi el menton ;
    Li ber estort son caup, mort l'abat el sablon.
    Dist li rois Aitropés : « Enchantere est cis glous.
    — Voir, » dist li rois Priant, « fuions nous entandous,
470 Autretel feroit ja et de moi et de vous. »

XIV

    Dist li rois Aitropés : « Dit m'avés vilain mot ;
    Mahomet me confonge et maldie mon cors,
    Se je part del François si savrai son confort. »

468 Et d. l. r. salatres — 471 salatres

Jus de l'angarde avalent, lor escu a lor cos,
475 Venu sont a Elie desoz l'onbre d'un lor,
Qui estoit as prisons, ce dessiroit il fort
Que fuissent desloiés, gari fuissent de mort;
Quant cil li escrierent, qui estoient au dos :
« Cuivers, n'i touciés pas, que li François sont no. »
480 Quant Elies l'entent, el destrier monte tost....
Sor le targe le fiert, sor l'escu de son col;
Il li fraint et peçoie desor le boucle a or,
Le blanc auberc del dos li desmaile et desclot,
Nu a nu li conduit son espiel ens el cors.
485 Dameldieu le gari : por .i. poi ne fu mors;
Elye fiert si l'un, tout li tranche le cors.
Malpriant torne en fuie, quant il voit celui mort,
Et Elies l'encauche et randone mout fort;
Par le mien ensiant, ja l'encauchera trop.

XV

490 Or m'escoutés, signor, que Dieus grant bien vous doinst,
Li glorieus del ciel, par son saintisme non :
Si vous dirai d'Elye, qui ceur ot de baron,
Con il sieut et encauche par ire le glouton;
Il le vint ataignant, se li dist par iror *(c)* :
495 « Sarrasin, c'or retorne, li cors Dieu mal te doinst!
Cis destriers que tu maines est isneus et cointos :
Volentiers l'en menaise, que li miens nen est pros.
—Vasal, » dist li paiens, « trop par es coragous!....
Que les roches sont hautes et li gué perillous;
500 Nus n'i peut trestorner ne destrier prendre cors.
Chi devant a .i. pré qui est biaus et herbous:
La poras trestorner et mostrer ta valor.

---

475 desor— 480 *et* 498 *Il y a une lacune probable après ces vers.*

Se tu me peus abatre, que chie des arçons,
Remener en poras che boin destrier gascon :
505 En ta vile en peus prendre .c. livres de mangons. »
Quant Elies l'entent, si grant joie n'ot hon,
Dameldé reclama et son saintisme non :
« Par le vostre amistié m'en otroiés le don ! »
.II. liewes le rencauche a force et a bandon,
510 En mi .I. val l'ataint, se li dist par iror :
« Sarrasin, c'or retorne al convent con avon.
— Vasal, » dist li paiens, « trop par es coragous !
Mes neveus m'as hui mort, .v. u .IIII. en .I. jor,
Or me vas rencauchant : je te tieng por bricon.
515 Se tu viens plus avant, tu feras grant folor,
Car tu troveras ja teus .x^m. compaignon[s],
N'i a tel ne port hace en sa main u baston ;
S'il vous peuent ataindre, senpre te tueron. »
Quant Elies l'entent, ne le prise .I. bouton.

XVI

520 « Chevaliers, tu es fols, » dist li rois Malpriant ;
« Je avoie .I. eskiec de la terre des Frans
Que tu m'as hui tolu par ton fier hardement.
De joster me semons et menu et sovent,
Ne je n'i puis torner ne n'en ai aissement.
525 Tu feras grant folie, se tu vas plus avant,
Car tu troveras ja teus .x^m. combatans ;
Se il te peuent prendre, n'aras de mort garant. »
Tant parlerent ensamble c'a l'ost vinrent poingnant.
Quant le voient paien, si sallent de tous sens :
530 As armes acorurent plus de .M. et .VII. cens.   *(d)*
Dameldé penst hui mais d'Elye le vaillant !

511 as conuent — 526 combatant

XVII

Quant ore voit Elies que Sarrasin s'airent
Et les os des paiens qui envers li se guient,
Dameldé reclama, le fieus sainte Marie,
535 Qu'il garisse(nt) son cors d'afoler et d'ochire;
Encor(e) voit Malpriant devant lui a delivre,
Souavet va le pas, n'a mès garde d'Elye.
Quant Elies le voit, a poi n'esrage d'ire :
Ses destriers fu mout boins, s'alaine a recuellie,
540 Des esperons le hurte que li sans en defile.
Il le vint ataignant lés .I. gués en .I. ille,
Grant cop li a doné sor le targe florie,
Desor le boucle a or li desmaille et esmie.
Mout fu fors li haubers, quant maille n'en eslice;
545 Et la lanche fu roide, ens el gué le sovine.
Mout pesoit li auberc, ja noast li traitres,
Quant Sarrasin i vinrent, la pute gent haïe;
Fors del gué le retraient, sor .I. ceval le misent.
L'enfes prist le destrier que en son ceur dessire;
550 Isnelement i monte, que ne se targe mie,
Et pendi a son col le fort targe florie
Et prist entre ses poins .I. espiel qui brunie :
Li fers en fu a or, l'alemele acherine,
Puis hurte le destrier aval la praierie.

XVIII

555 Quant Malpriant esgarde son destrier auferant,
Et voit sus le vasal que il par haioit tant,
Mout fierement escrie : « Franc Sarrasin vaillant,
Se l'en laissiés aler, tout somes recreant.
Ne savés le damage ne le deul qu'est si grant,

560 Que il nous a hui fait par son grant hardement.
Mort nous a Salatré et le preu Rodoan
Et Brandone et Triacle de le tere al gaiant,
Et encor .vii. des autres, de tous les mieus vaillant. »
Quant le voient paien, si saillent en tous sens,
565 As armes en corurent plus de .m. et .viie.,
Qui encauchent Elie par mi le desrubant; *(fol. 80)*
Mès li ber les voit bien, si esgarde et atent :
Il repaire as paiens et s'i joste sovent.
Il sist el boin destrier qui plus tost va corant
570 Que ne fait arbalestre ne quarel qui destent :
Quant il vieut, s'est deriere, quant il vieut, s'est devant.

XIX

Or escoutés, signor, que Dieus grant bien vous don,
Li glorieus del ciel par son saintisme non.
Chi vous lairons d'Elye, si dirons des prisons
575 Qui gisoient soz l'arbre dolant et coreçous ;
De samis et de cordes orent loiés les puins :
« Dameldeus, » dist Guillaumes, « par ton saintisme non,
Qu'avés fait del vasal qui tant est coragous,
Qu'encaucent li glouton par le pré angoisous ?
580 Hé ! Dieus, con fust grant joie, se desloié fuisons !
Se l'alison secore a force et a bandon. »
A iceste parolle .i. vilain lor est sors
Et portoit se cuingnie dont ot ovré le jor.
Quant il voit les paiens detranchiés en l'erbous,
585 En fuie vaut torner, car mout ot grant paour.
Et quant le voit Guillaumes, si l'a mis a raison :
« Amis, parolle a moi, bacheler, jovenes hon ;
Ja oras tel novele, s'en toi a point d'amor,
Dont tu avras au ceur et pitiet et dolor.

575 sor

590 Caitif somes de Franche et d'amis soffraitous.
Sarrasin nous ont pris, droit a hui .xv. jors.
Onques puis ne fu soir ne matin nes un sous,
Ne livraissent as cors grant paine et grant dolor :
As corgies noees nous batent cascun jor.
595 Or nous vien(t) desloier, si feras que preudon,
Et prent tous ces destriés qui tout sont devant no‿s.
— Sire, » dist li vilains, « qu'en feroie ge dont?
N'ei tant de tous avoirs dont les peusse .I. jor.
.VII. enfans ai a paistre, par le foi que doi vous,
600 Que je n'ai que je meche en la main al menor;
Car tous jors ai ovré a .I. maistre orgellous
Qui me taut me deserte et delai[e] tous jors. *(b)*
A Dameldé m'en plaing, le verai glorious,
Qu'il me fache justice par la soi[e] douçour. »
605 Et quant l'entent Guillaumes, au ceur l'en prist tenror,
Le vilain apela, se li dist par amor :
« Or pren tous ces bliaus, ces hermins pelichon[s],
Si les ven(s) a deniers et si soies preudom,
Et proie Dameldé, le verai glorious,
610 C'ait merchi dou vassal ques a mort hui cest jor. »
Quant li vilains entent le consel del baron,
Il a trait son coutel, si les delie tous.

XX

Quant Guillaumes d'Orenge se senti desloiés,
Por nule riens en terre ne se fesist si liés;
615 Il est passés avant, si saissi .I. espiel
Et jure Dameldé, le glorieus del ciel :
« Mieus vauroit estre mors, ocis et detranchiés,
Par mi le cors feru de .VII. tranchans espiés,
De .XXX. u de .XL. et devant et derier,

601 tout

620 Ja mais par Sarrasin fuisse pris ne loiés. »
     Dist Bernart de Brubant, li kenus et li viés :
     « Se je n'avoie d'armes mès c'un pel aguissié(s),
     S'en abatrai je .c. devant el premier cief.
     — Signor, » che dist Hernaus, « n'ai soing de manecier
625 Secorons le preudome, le vaillant chevalier,
     Qu'encachent li gloton par mi le pui plenier. »
     Et respondi Bertram : « Or oi plait qui bien siet.
     Courés vous adouber, nobile chevalier :
     Alés prendre les armes de ces felons paiens
630 Qui gisent a la tere ochis et detrenchiés. »
     Et cil ont respondu : « De gré et volentiers. »
     Il sont venu as mors, si les ont despoilliés,
     Et vestent les aubers, s'ont les elmes laciés
     Et çaingent les espees a lor flans senestriers,
635 Et monterent es seles des boins corans destriers,
     Et jetent a lor caus les escus de quartiers
     Et prissent en lor poins les rois tranchans espiés;
     Par mi .i. val s'en vont poingnant tous eslaisiet. *(c)*

XXI

     Or chevalcent tout .IIII. ensamble li baron,
640 C'est de la flor de Franche, des millors qui i sont.
     Il encontrent paiens lés le costé d'un mont,
     Qui encachent Elye a coi(n)te d'esperon ;
     A .i. gué l'ont ataint, se li toillent le cour.
     Ja l'eussent ochis li Sarrasin fellon,
645 Quant Guillaumes d'Orenge tout .i. val lor est sours,
     Il et Bertran ses niés, li vasal et li prous,
     Et Bernart de Brubant et Hernaut l'airous,
     En la presse se fierent ensement comme lous.
     La veissiés bataille et mervellos estour,
650 Voler sanc et cervelle comme pleve qui court.
     Qui Bernart de Brubant esgardast en l'estour,

Con il croille la barbe et fronce le gernon !
Dist Jossés d'Alixandre : « Cis vieus est mervellous !
C'est Artus de Bretaigne u Gavain, ses nevos,
655 U Pilate d'enfer u Mordrant l'airous,
Qui manguent les homes .v. u .iiii. en .i. jor.
Par le foi que vous doi, si fera il nous tous,
Car poignomes a l'ost, qu'il nous facent secor. »

XXII

Ausi con li faucons fait les oiseus fuir,
660 Fait Guillaumes d'Orenge paiens et Sarrasin[s].
Elyes sist el vair que Malpriant toli ;
S'il s'en vausist aler, ne doutast Sarrasin ;
Mais il ne vaut François ne fauser ne guerpir,
Ains retorne sovent avoec aus por ferir.
665 Elye li gentius, qui Dieus puisse garrir,
Sor l'escu de son col vait ferir Salatrin
Et Truant de Baudas et le preu Menalis ;
.VII. en a craventés devant lui el chemin.
Franc ne porent lor cos endurer ne sofrir,
670 Que lor donent entr'aus paien et Sarrasin,
Ains s'en tornent en fuie tout .i. [feré] cemin
Desor l'aige del lac sor .i. sentier antis ;
La corurent François qui la sont defui.
Mais paien les ont si souspris et envais, *(d)*
675 Il lor lancent faucars et boins espiels forbis ;
Ja fuissent no François et retenu et pris,
Quant Elies esgarde tout .i. feré chemin
Et voit .xx. chevalier[s] qu'avalent .i. lairis
Qui querroient Elie, ses peres les tramist.
680 Mais trop ont demoré et targié de venir :
Li messagiers les ot deslaiés el chemin,

672 antis sentir *cf.* v. 696

Que il troverent mort, si l'ont en terre mis.
Et quant les voit Elies, mout joians en devint :
De la joie qu'il ot fait le ceval saillir ;
685 Li destrier s'en repaire contreval le lairis ;
Onques [Dés] ne fist beste qui s'i peust tenir,
Cers ne dains ne aloe, faucons ne esmeril ;
Et revient ataignant .I. felon Sarrasin :
Cil fu fieus l'amiral qui la guerre mainti(e)nt
690 Et frere Rosamonde, c'ainc si bele ne vi.
Elyes laisse corre le destrier u il sist,
Vait ferir le paien devant en l'escu bis,
Le blanc auberc del dos desront et dessarti,
Trestout par mi le cors son boin espiel li mist,
695 Enpoin le par vertu, mort l'abati sovin.
A tant evous poignant tout .I. sentier anti
Bertram le preu, le sage, le chevalier hardi :
Sor l'escu de son col va .I. paien ferir,
Que il li a perciet et l'auberc desarti,
700 Le ceur qu'il ot el ventre li a en deus parti ;
Enpoin le par vertu, mort l'abati enqui.
Et Bernars le regarde, li vieus quenu flori :
Envieus fu del cop qu'il vit faire son fil,
Ja sera mout dolans se .I. paien n'ochist ;
705 Sor les las de son elme va .I. paien ferir :
La teste en fait voler a tout l'elme bruni.
Guillaumes fiert le quart, Hernaut feri le quint,
Et li .XX. chevalier ne sont pas alenti :
Cascuns des .II. barons ra .II. paiens ochis.

XXIII

710 Mout fu grant la bataille et li estor campés ; *(fol. 81)*
Dieus, con i fiert Guillaumes, li marcis au cort nés !

706 valer — 709 ra]re

Les .iiii^m. escus ont si mal atornés
N'en fust ja nes uns seus estors ne escapés,
Quant i vint le grant force que conduist Macabrés.
715 Cil ont si nos François ferus et ramenés,
Que des .xx. chevaliers n'en sont que .x. remés,
Les .x. autres ont pris, loiés et atrapés.
Nostre François sont trait a .i. regort de mer,
Il escrient Elie : « Chevalier naturés,
720 Traiés vous envers nos, si serons plus doutés. »
Et il si feist senpre, bien s'en fu apensés,
Quant i vint .i. paiens quil semont de joster.
Et quant l'entent Elies, le sens quide derver :
Mieus vauroit estre mors que coars apelés.
725 Il hurte le destrier par andeus les costés
Et a brandie l'anste de l'espiel noelé,
Vait ferir le paien sor son escu bouclé,
Desor la boucle a or li a fraint et quassé,
Enpoin le par vertu, si l'a mort craventé :
730 « Outre, quiver, » dist il, « Dieus te puist mal doner !
Onques li miens lignages ne pot le tien amer. »

XXIV

Elies vit ses homes et pris et retenus ;
Dieus ! con or se demente desous son elme agu :
« Baron, » che dist Elies, « con mar m'avés seu !
735 Se ne vous puis vengier, ainc si dolant ne fui. »
Guillaume est en la presse et Bertram avoec lui,
Et Bernart de Brubant et Hernaut li kenu ;
Il escrient Elie a la fiere vertu :
« Ber, car te trai vers nous, si serons plus cremu,
740 Ja mais n'en penras mort tant con en dura uns. »
Et il si feist senpre, bien s'en est percheus,

718 francoit

Quant i vint .I. paiens qui .VII. piés ot de [b]u :
« Par Mahomet, François, mout [t']es hui maintenu,
Que par nul Sarrasin ne fus hui abatu.
745 Va, si guerpi ta loi et ton Dieu mescreu,
Si croi en Mahomet qui nous fait les vertus,   *(b)*
Qui fait issir del fust et le flor et le fruit.
— Va, glous, » che dist Elies, « tu es fols esperdus!
Mahons ne Apolin ne font joie ne bruit,
750 Ne vaut .IIII. deniers fors l'argent qui est s(o)us,
Dont vous les avés tous aornés et vestus. »
Quant li paiens l'entent, ainc si dolant ne fu,
Onques puis n'i ot resne ne saciet ne tenu :
Gran cos s'en vont doner es conbles des escus,
755 Toutes plaines lor lances se sont entrabatu.
Elye trait l'espee qui roi Salatré fu,
Vait ferir le paien desor son elme agu,
Enfressi qu'es espaules l'a trestout porfendu,
Puis l'a mort abatu en mi le pré herbu.
760 Malpriant i sorvient, qui son ceval connut,
Il a traite l'espee, a Elie est venu,
Ja li caupast le cief senpre desor le bu,
Quant Gerart li escrie ausi près con il fu :
« Tais, paien, ne l'ochie, maleois soies tu !
765 C'est li fieus Julien le hardi conneu :
Grant avoir en avras, s'en prison l'as tenu. »
Quant l'entent li paiens, ainc si joiant ne fu,
A plus de .M. paiens a il l'enfant rendu :
Se li loient les mains, que li sans en ciet jus.
770 Guillaume est en la presse et Bertram avoec lui,
Elyes lor escrie ensi pris con il fu :
« Ber, laissiés le bataille puis que sui retenu ;
Mieus aim que je seus soie et pris et retenu,
Que vos autre fuissiés ne jugié ne pendu. »
775 Quant Guillaumes l'entent, ainc si dolant ne fu,

761 sest a elie — 767 entens

A haute vois escrie : « Chevalier, qui es tu?
Encor ne te connois, mout [t']es hui maintenu.
— Certes, » che dist Elies, « ne me celerai plus.
Je sui fieus Julien, de Saint Gille le duc. »
780 Quant Guillaumes l'entent, ainc si dolant ne fu,
A haute vois escrie : « Bertram, niés, que fais tu?
Ja est pris li vasaus qui tant a de vertu :   *(c)*
Se l'en laisons aler, mors sons et confondu. »
Il hurte le destrier des esperons agus,
785 Et Bernart de Brubant et Hernaut li kenus
En le presse se fierent tout ensanble a .i. hu.
La veissiés bataille et estor maintenu,
Onques mais par .i. home ne fu si fier veu.
Mais ne lor vaut lor forche valissant .i. festu,
790 C'Elyes li vasaus est pris et retenus.
Et Guillaumes s'en torne et Bertram avoec lui,
Et Bernart (et) de Brubant et Hernaut li chenus.
Sarrasin les encauchent a force et a vertu :
Ariere s'en retornent, n'en peuent baillier un.
795 Et Guillaumes chevalce a la fiere vertu,
Enfressi a Saint Gille n'i ot resne tenu.
A la porte ont trové .i. quiver mescreu.
Prismes parla Guillaumes au cor nés de Leun :
« Amis, evre la porte, que Dameldé t'aihut!
800 Au conte Julie[n] voil je mander salu. »

XXV

Li portier fu mout fel, glous et desmesurés :
Il ovri le guicet, quant il les ot parler,
Et a coisi Guillaume, le cief ot desarmé(s),
Lors a parlé li glous, que Dieus puist mal doner :
805 « Por auteus recouvrir ne por messe canter

785 li floris — 791 auoec bertram lui — 800 vail — 805 reconurir

Ne vous fu mie faite la bo(u)che sor le nés.
Bien me samblés espie de cel autre resné,
U vous estes Guillaumes, li marcis au cor nés.
Or vous alés hui mais en cel bourc ost[el]er
810 Enfressi a demain que li jor parra cler,
C'au conte Julien venrés la sus parler. »
Quant Guillaumes l'entent, le sens quide derver ;
Il hurte le destrier, qu'il vaut laiens entrer.
Li portiers saut en piés, s'a .I. baston combré,
815 Ferir en vaut Guillaume, le marcis au cor nés.
Quant li quens l'a veu, l'escu li a torné,
Et li glous i feri qui fu fel et irés,
.I. grant piet li fendi de l'escu noelé :   (d)
« Oncle, » che dist Bertram, « vous a il adessé ?
820 — Nenil, » dist il, « biaus niés, la merchi Dameldé. »
Et Bertram passe avant a loi de bacheler ;
   Le poin senestre li a el cief mellé,
Enpoin le bien de lui, el fossé l'a jeté ;
L'aigue fu grant et rade, aval l'en a mené.
825 Quant li fieus au portier vit son pere tuer,
Enfressi el palais ne se vaut arester :
A sa vois qu'il ot clere s'est pris a escrier.

XXVI

Es le fil al portier ens el palais venu,
A sa vois qu'il ot haute s'escrie par vertu :
830 « Julien de Saint Gille, mout t'est mal avenu :
Mes peres t'a servi .XIII. ans, voire plus,
C'onques ne li donas palefroi ne boin mul :
Mout malvais gueredon l'en as [tu] hui rendu,
C'a ta porte a trové .I. glouton mescreu,
835 En l'aige l'a jeté desor le pont la jus. »

816 lesca

Quant Juliens l'entent, ainc si dolant ne fu,
Il jure Dameldé qui el ciel fait vertu
Ja n'istront de cel resne si esteront pendu.
A tant evous Guillaume au cor nés de Leun,
840 Et Bernart de Breubant et Hernaut le kenu(s),
Et montent el palais tout a .i. bruit.
Premiers parla Guillaumes au cor nés li menbrus :
« Cil Dameldé de gloire, qui el ciel fait vertu,
Si garde Julien, ses amis et ses drus !
845 Amis, je sui Guillaumes, ne me celerai plus,
Cist autre sont mi frere qui tant sont parcreu.
C'est Bertram et Hernaus et Bernart li kenus :
Fil somes Aymeri de Nerbone, au chenu.
A ta porte ai trové .i. glouton mescreu,
850 Qui ne nous vaut ens metre, mout en sui irascu :
En l'aigue l'ai geté desor le pont la jus,
Certes, car d'une cosse m'ere mout irascus,
Qu'Elyes li vasaus est pris et retenus ;
Mais selonc l'aventure nous est bien avenu. » *(fol. 82)*
855 Quant Julien l'entent, ainc si dolant ne fu.
La dame chiet pasmee, qui tenue ne fu,
Julien l'en redreche, li vieus et li kenu :
« Dame, » che dist li dus, « mal nous est avenu,
C'Elyes, nos chiers fieus, est pris et retenus ;
860 Mais selonc l'aventure nous est bien avenu,
Quant cil sont escapé, qui tant ont de vertu.
Par ceus avrai Elie, ja si bien n'ert tenu. »
Il a dit a ses homes : « Car levés sus !
Che sont mi droit signor, a Dieu ren ge salu. »
865 Guillaumes ai mandé a Rains u a Leun
Au riche roi Loeys, que secor li aiut,
Et cil li amena .xi.^{m}. escus.
Aymeri de Nerbone est au secor venus,
Tant en a asamblé .c^m. sont et plus.

840 li k. — 841 bruis — 851 lauons gete

870 Chi lairons de Guillaume au cor nés, le menbru,
Si diromes d'Elye a la fiere vertu,
Que Sarrasin en mainent, li quiver mescreu.
Dist Jossés d'Alixandre : « Mal nous est avenu,
Quant cil sont escapé qui tant ont de vertu.
875 Or vauront repairier dusc'a .vii. jors au plus,
S'av(e)ront en lor compaigne plus de .xx^m. escus;
Nus ne dura vers aus, car trop ont de vertu.
Car issons de lor terre ains que soions veu. »
Et cil ont respondu : « Cis consaus ert creu. »
880 Il vinrent a la rive u la navie fu.
Ens el font d'une barge getent Elie jus;
Se li loient les mains, que li sans en ciet jus.

XXVII

Or s'en tornent paien, que li cors Dieu maldie, *(b)*
Qui les .vi. chevaliers en mainent et Elye.
885 Il se poignent en mer, si se boutent de rive
Et trespassent Baudas et le terre d'Ongrie,
A senestre laissierent Romaigne et Femenie,
Et a destre laissierent la chité de Rousie,
Et virent les palais et les herbergeries,
890 Les tors vielles et droites qui vers le ciel baulient.
Macabré l'amiral ne s'aseura mie,
Devant lui fait venir no François a delivre,
Il a traite l'espee, qu'il les voloit ochire,
Quant i vint Josias qui d'Irlande estoit sire :
895 « Por Mahon, amirals, ne les ochiés mie!
Ja ai ge fait por vous mainte chevalerie,
Tante lanche brisie, tante espee croissie.

871 dirons — 882 *Miniature avec cette rubrique* : C'EST CHI ENSI CON SARRASIN ONT PRIS ELYE ET L'ONT MIS EN UNE NEF. — 894 de lande

Onques n'en euc del vostre [vaillant] une angevine.
Donés moi les François en la moie baillie,
900 Je les ferai mener en Irlande ma vile,
Ferai lor aourer Mahomet et ses i(n)deles.....
A mollier li donrai Rosamonde ma fille,
La plus bele pucele de toute paienie ;
Et si nel voillent faire, livré sont a martire. »
905 Macabré l'amiral ne s'aseura mie,
Devant lui fait venir Mahomet et ses ideles.
Covert fu d'un brun paile por le caut qui l'aigrie,
Derier fu apoiés d'un arbre de Surie,
Que de devant ne versse ne de derier(e) ne plie,
910 Ensi encortiné comme feme [en] gesine.
Plus de .M. Sarrasin l'aourent et aclinent ;
Macabré l'amiral l'aouroit il meismes :
Il garde devant lui, si a coisit Elye,
Qui avoit en son dos une bronge trellie ;
915 Il n'ot point en son cief de hiaume de Pavie,
Sarrasin li tolirent tantost con il le prissent.
Il est passés avant, les .II. poins li delie
Et le prist par le main, a Mahomet le guie :
« Or me di, crestiens, par le toi baptestire,   (c)
920 Veis mès [en ta vie] si biau dieu ne si riche ?
Il me done trestout quanque voil et desire ;
Quant je voil, il me guie el resne de Surie
U en cel de Baudas u en cel d'Aumarie. »
Quant Elies l'entent, ne peut muer n'en rie :
925 « Caitis rois orgellous, li cors Dé te maldie !
Por coi tiens tu a dieu une cose falie ?
Il nen a ame el cors ne parolle ne vie ;
Quil feroit .XV. cos d'un baston lés l'oie,
Il ne l'en feroit ja ne maltalent ne ire
930 Ne n'en grongeroit ja ne plus que une bisse.
Car pleust ore a Dieu, le fieus sainte Marie,

898 cf. v. 937 — 901 *Lacune évidente.* — 925 te] de

Que l'eusse en Provenche ens el mostier Saint Gille !
Il avroit ja brisiet le nés et les orilles,
J'en osteroie l'or et les pieres plus riches,
935 Sodoier[s] les donroie, ses en feroie riche[s],
Puis vous venroie seure o mout grant ost banie ;
Je ne vous laisseroie vaillant une angevine. »
Quant l'amiraus l'entent, a poi n'esrage d'ire,
Il vint a Mahomet, se li a pris a dire :
940 « Gentieus dieus de boin aire, ne vous en poist il mie
Dou François orgellous qui si vous contralie ?
Tenés, la moie foi vous sera ja plevie,
J'en prendra la venganche, mès que je vienge a vile.
Paien, drechiés les forces, Mahomet vous maldie !
945 Ja mora li François, n'ert consaus de sa vie. »
Quant l'entendi Elies, n'a talent qu'il en rie ;
Dameldé reclama, le fieus sainte Marie,
Qu'il garisse son cors d'afoler et d'ochire ;
Ançois que il soit vespres ne sonee complie
950 Ara paor de mort, d'afoler et d'ochire.
Encor voit Malpriant devant lui a delivre,
Qui tenoit le destrier que il toli el l'ile.
Bien estoit enfrenés et la sele estoit mise,
Il le tient par le resne, .I. paien le delivre.
955 Quant Elies le voit, a poi n'esrage d'ire ; (d)
Dameldé reclama, le fieus sainte Marie :
« Dameldieus, sire pere, con hui main estoi riches,
Quant je che boin destrier avoie en ma baillie !
Car le me rendés ore, dame sainte Marie.
960 Certes, mieus voil morir a espee forbie
Que je ne l'aie anqui en la moie baillie. »
Par milieu de la nef a sa voie aquellie,
Il fiert si le paien, qui le tient lés l'oie,
Que la char li blecha et les os li debrisse ;
965 Devant lui l'abat mort, en le nef le sovine.

933 orelles

Lors a pris le destrier que en son ceur desire,
Isnelement s'en torne, que [il] ne targe mie,
Il s'est ferus en l'aigue qui cort de grant ravine.
Li destriers fu mout boins, qui se noe a delivre ;
970 Il est venus en terre en une praierie,
A sa vois qu'il ot clere hautement li escrie :
« Paien, or m'en vois je, li cors Dieu te maldie !
Et vous drechiés les forces en mi le praierie,
Si pendés li un l'autre, malvaise gent aie. »
975 Quant l'amiraus l'entent, a poi n'esrage d'ire ;
Il vient a Mahomet, se li a pris a dire :
« Gentieus dieus debonaires, entent que je voil dire
Dou François orgellous qui tant te contralie ;
Fai le moi arester la devant a tel rive.
980 Se nel fais arester, n'as consel de ta vie :
Je t'arai ja brisiet le nés et les orilles. »
Quant che voit Macabrés c'adès s'en vait Elye,
Il vient a Mahomet, se li a pris a dire :
« Gentieus dieus debonaire, or ai ma foi mentie,
985 Car li François s'en va, je ne l'ataindrai mie. »
Il hauce le poing destre, si le fiert lés l'oie,
Qu'il l'a mout mal mené et trestout le debrise,
Devant lui l'abati, en la nef le sovine,
Que tuit li escarb[onc]le fors del cief li saillirent.
990 Quant Sarrasin le voient, a poi n'esragent d'ire ;
Vienent a Macabré, se li ont pris a dire : *(fol. 83)*
« Caitis rois orgellous, por coi nous contralie[s],
Qui si bas nostre dieu et confons et justiche[s] ?
Se tu ne l'en fais droit, n'ert consaus de ta vie :
995 Tu t'en veras contrais ains l'eure de complie. »
Quant l'amiraus l'entent, durement s'umelie ;
Il vient a Mahomet, .c. fois merchi li crie :
« Gentieus dieus debonaire, ne vous en poist il mie :
Certes, que j'ere plains et de corous et d'ire.

981 orilles] narines *cf.* v. 1002 — 982 malpriant *cf.* v. 965

1000 Tenés, je vous frai droit a la vostre devise :
Je vous donrai .M. mars, mès que je vieng[e] a vile,
Dont je vous referai le nés et les orilles. »
Il a pris son gant destre, ens el puin li afice.

XXVIII

« Signor, » dist l'amiraus, « malement sui bailliés!
1005 Chou que ti(e)ng a mes poins ai geté a mes piés ;
J'eusse encor le Franc, se ne fust desloiés. »
Il en a apelé Baligant et Gontier :
« Vous serés .IIII^{xx}. sor les corans destriers,
Si m'en irés de cha, nobile chevalier :
1010 Se trovés le François, mors soit et detranciés ;
Il n'a port en ma terre u il soit herbergiés,
Qu'il ne soit senpre mors u tués u noiés. »
Et cil li respondirent : « De gré et volentiers »
Isnelement et tost s'en vont aparellier :
1015 Il vestent les aubers, lacent elme[s] d'achier,
Et çaingent les espees et montent es destriers,
Et pendent a lor caus les escus de quartiers,
Et prendent en lor poins les rois trancans espiés :
Tout droit après Elie s'en sont tout eslaissié.

XXIX

1020 Signor, desous Sobrie sont paien arivé :
Et Elies s'en vait, qui lor est escapé.
Toute nuit chevalca par mi le gaut ramé.......
A iceste parolle a son vis tresto[r]né ;
Contre la lune garde, qui jetoit grant clarté,
1025 Et vit les Sarrasins sor les destriers armés.

1022 *Lacune*

Devant trestous les autres vint li rois Codroés ;
A sa vois qu'il ot haute se prist a escrier : (b)
« Par Mahomet, François, or avés mal alé.
Je vous renderai pris mon signor Macabré,
1030 Et si fera de vous toutes ses volentés :
Il vous pendra a forques u noiera en mer. »
Et respondi Elies : « Dan glous, vous i mentés :
Venistes vous me quere por tel cose trover ?
Par selonc le merite le loier en avrés. »
1035 Il hurte le destrier des esperons dorés :
Vait ferir sor l'escu le fort roi Codroé,
Desor la boucle d'or li a fraint et quassé,
Et le hauberc del dos desront et desclavé ;
Tant con anste li dure l'abati mort el pré.
1040 A tant evous poignant Sarrasin et Escler,
Et trevent chelui mort, n'osent avant aler.
Cele nuit gut Elies dedens le gaut ramé,
Ne but ne ne manga : ne li fu apresté ;
Ses chevals ne gousta de feure ne de blé ;
1045 Jusques al(e) matin[et] que li jor parut cler,
Qu'Elyes se leva, quant il vit le clarté.
Il est issus del bos, s'est entrés en .I. pré ;
Dameldé reclama et la soie bonté :
« Dameldieu, » fist il, « pere, qui me fesistes né,
1050 Je ne mangai de pain bien a .III. jors passé,
Puis a je tant maint cop recheu et doné :
Vous me donés hui home qui me doinst a disner. »
A iceste parolle a gardé en .I. pré,
Et vit .IIII. larons sous .I. arbre aresté[s] :
1055 Si partoient avoir qu'il avoient enblé ;
Murgale de Turnie l'ont tolu et robé.
Cil orent .I. mangier mervelleus apresté
De .II. paons rostis et d'un cisne enpevré,
Et .II. gastieus tous blans de forment buleté,

1026 trestout — 1052 hon

1060 Et .II. boucieus tous plains de vin et de claré.
Quant Elies les voit, cele part est alés,
Sor le corant destrier est cele part tornés ;
Et avoit en son dos .I. blanc auberc safré,   (c)
Et ot çainte l'espee qui fu roi Salatré ;
1065 N'ot point ens en son cief de vert elme gesmé :
Sarrasin li tolirent, quant fu enprisonés.
Quant li laron le voient, mout en sont esfraé,
Espié quident estre, si sont en piés levé,
Por lor cors a desfendre sont mout bien apresté :
1070 « Signor, » che dist Elies, « mie ne vous doutés;
De moi n'avés vous garde, si me garisse Dés. »
Il a geté sor l'erbe son fort escu bendé,
Son boin destrier corant atacha a .I. pel,
Venus est as larons, si les a salués :
1075 « Cil Dameldé de gloire qui en crois fu penés,
Cil vous gart, biaus signor, se vous en lui creés ;
Et se vous ne creés Jhesu de majesté,
Cil sires vous confonge qui en crois fu penés. »
Et li laron se taissent, que n'i ont mot soné.
1080 Li maistre des larons s'en est en piés levés ;
Il a dit a Elie : « Vasal, vous que querrés,
Quant n'avés avoec vous sergant ne bacheler ?
— Sire, » che dist Elies, « je nel puis amender ;
Nés sui de douche Franche, de mout grant parenté :
1085 Guillaumes est mes oncles, li marcis au cor nés,
Mes grans sire Aymeris de Nerbone sor mer,
Et sui fieus Julien de Saint Gille le ber.
Paien et Sarrasin m'orent enprissoné :
Par ma fiere proeche lor su je escapés.
1090 Or ne mangai de pain, bien a tier jor passé(s) ;
Or voi chi le mangier garni et apresté :
Certes, g'en mangerai, qui qu'en doie pesser. »
Ains ne demanda aige por ses mains a laver,
Au mangier s'est assis sans congiet demander.
1095 Tant ne sorent li dui [ne] taillier ne haster

Con Elies manga, qu'il l'avoit dessiré.
Quant li maistres le voit, se li a escrié :
« Par icel saint apostle c'on quiert en Noiron pré,
Por vuidier escuele ne por anap torner, *(d)*
1100 Millor[s] mains que les vostre[s] ne poi onques trover.
Chevalier, tu es fols, che sache[s] de verté,
Qui mangus no vitaille, si je nous en sés gré.
Mès pa le foi que doi mes compaignons porter,
N'avés mangiet morsel qui le col ait passé
1105 Ne vous coust anquenuit .i. marc d'or cuit pessé.
— Sire, » che dist Elies, « merchi por l'amor Dé.
Encore est cis mangiers, s'il vous plaist, a conter ;
Certes je sui tous prest de mon escot livrer,
U je paierai tout, se vous le commandés. »
1110 Et dist a l'autre mot li gentieus baceler :
« Con est ciers chi pais envers cel u fui nés !
L'autre jor fui en Franche a Paris la chité :
Por .c. saus de deniers en eusse autretel.
Or prendés de mon dos mon hermin engolé,
1115 Qui bien cousta .c. mars, quant je fui adoubés,
Il n'a que .iiii. jors, par le foi que doi Dé,
Que me fist chevalier, mout l'oc en grant chierté,
Julien de Saint Gille, mes peres, li senés.
.C. saus valent les gones de deniers monaés ;
1120 Et se me clamés quite, grant aumoisne ferés. »
Et dist li maistre leres : « De folie parlés.
Ne vous coutera gaires, se vous i loist parler :
Cel destrier coureor que voi la aresné,
Cel auberc de cel dos et cel branc del costé,
1125 Cel hermin peliçon, cel bliaut engoulé ;
Tous nus piés et en langes, a ton col .i. grant pel,
Trestous seus en irés tout le chemin feré ;
Et se tu chou n'otroies volentiers et de gré,
Ja seras tant batu, jel te di par verté,
1130 Dont li caup te vauront .i. destrier sejorné. »

Quant Elies l'entent, le sens quide derver;
Maintenant respondi, car le ceur ot iré.

XXX

Elyes li vasal, qui tant fait a prissier, *(fol. 84)*
  Respondi as larons, qui Dieus doinst encombrier:
1135 « Fil a putain, glouton, » dist Elies li fier,
  « Quant je vous trovai ore chi illeuc a mangier,
  Quidai que vous fuissiés sergant u chevalier,
  Ou marcheant prodome et d'avoir enforcié,
  Qui seussent prodome servir et aaisier.
1140 Or voi que laron estes, leceor pautonier,
  Si me volés tolir mon auferant destrier.
  Se j'en eusse .I. autre, quite vous fust laissiés;
  Mais je sui fieus a conte, ne sai aler a piet,
  Julien de Saint Gille, le nobile guerrier.
1145 Seés vous or(e) tout coi, que ne s'en meve piet;
  Par le foi que je doi al glorieus del ciel,
  Il n'i a cel de vous si hardi ne si fier,
  S'il se dreçoit amont por mes resnes baillier,
  Quant il partroit de moi, ja mès ne seroit liés :
1150 Autre force i convient por mon cors justichier. »
  Li mestres des larons s'en est mout coreciés.
  Il tenoit en sa main .I. baston de pumier:
  Ferir en vaut Elie par mi le crois del cief.
  Li enfes fu mout sages, qui bien se sot gaitier:
1155 Il haucha le poing destre qu'il ot gro et plenier.
  Venus est au laron, .I. ruiste cop le fiert,
  Le maistre os de la geule li a par mi brisiet,
  Que mort l'a abatu devant lui a ses piés;
  Puis a pris en son poing le baston de pumier, *(b)*

1132 *Miniature avec cette rubrique* : Ch' est chi ensi que Elyes ochist les larons et con Galopin li pria merchi.

1160 Si fort en feri l'autre mort l'abat a ses piés.
Et li tiers torne en fuie, en mi le bos se fiert.
Galopin fu li mieudres, se li chei as piés;
Douchement de boin ceur li a merchi proiet :
« Merchi, » dist il, « biaus sire, por Dieu ne m'ochiés,
1165 Je vous servirai certes par mout grant amistiet. »

XXXI

Galopin fu li mieudres, se li vient a genos :
« Merchi, » dist il, « biaus sire, je sui mout gentieus hon :
Je vous plevi ma foi orendroit a estrous
C'onques ne me fu bel li lai dire de vous.
1170 Encore ai .i. tressor en cel bois la desous,
U il a tant avoir et argent et mangons
Et aubers et vers elmes et escus poins a flors,
Boines armes et beles et auferans coi(n)tous :
Se vous me laissiés vivre, che vous donra ge tout. »
1175 Quant Elies l'entent, forment le tient a prous.

XXXII

Quant ore entent Elye qu'il n'est pas Sarasin
Et qu'il croit bien en Dieu qui onques ne menti,
Il l'en a apelé, belement li a dit :
« Amis, con as tu non? garde n'i ait menti. »
1180 Et cil a respondu : « Biaus sire, Galopin,
Et si sui nés d'Ardane, fieus au conte Tieri;
Berrars si fu mes freres, li preus et li gentis.
A l'ore que fui nés ceste paine m'avint :
.IIII. fees i ot; quant vint al departir,
1185 Li une me voloit a son eus detenir;

1172 point

Mais les autres nel vaurent endurer ne soufrir
Et prierent a Dieu qui onques ne menti
Que ja mais ne creusse, tous jors fuisse petis,
Se n'eusse de lonc que .III. piés et demi,
1190 Et s'alaisse plus tost que cheval ne ronchin ;
Certes, et je si fac, por voir le vous plevi.
Lors fu morte ma mere et mon pere autressi :
Mi parent m'orent vil por chou qu'ere petis,
Si me vaurent noier en le mer, el grant fil.
1195 Cist laron m'acaterent, que trovés avés chi :   (c)
Tant m'ont de lor mestier ensengiet et apris
Soussiel nen a chastel, dongon ne roellis,
Ne sor pilers de marbre tant soit palais assis,
Que n'en traie l'avoir, tant parfont i soit mis.
1200 Or devenrai vostre hom, si vous vaurai servir. »
Galopin passe avant, son homage li fist,
Et joint [ses] mains petites, as Elie les mist,
Et devint ses hons liges et fiauté li fist.
Il li avra mestier, che quic, ainc mout petit,
1205 Que Elies esgarde tout .I. feré chemin,
Et voit venir Ector, .I. felon Sarrasin,
Et Gossé(s) d'Alixandre, Gautier l'amanevi ;
Et quant les voit Elies, s'en a geté .I. ris ;
De che fist il que faus, quant ne daigna fuir.
1210 A estal s'aresta droit en mi le chemin ;
Et Hector laisse corre le destrier u il sist,
Et vait ferir Elie devant en l'escu bis ;
Le blanc auberc del dos desront et desarti,
Si que lés le costé le roit espiel li mist ;
1215 Et li dui s'eslaisierent au chevalier gentil.
Je que vous cheleroie ? .IIII. plaies i prist,
De toute la menor [en] deust il morir,
Mais Jhesu le garda, qu'en sa garde le mist.
Ains k'eust trait(e) l'espee, i sorvint Galopin,

1188 tout

1220 Et saissi .I. levier qu'il trova el chemin,
Et vait ferir Gontier rés a rés le sorcil:
La cervele en espant, mort l'abat el cemin,
Et il saissi l'espiel qui des poins li chei,
Et vait ferir Ector devant en l'escu bis
1225 Si que par mi le cors son roit espiel li mist.
Et Jossés torne en fuie, navré l'a Galopin,
Ne portera mès armes, si con moi est avis;
Et quant le voit Elies, cele part poignant vint,
Isnelement et tost s'en vint a Galopin.
1230 Tost et delivrement sor .I. ceval sailli,
Plus tost qu'il onques pot s'en vint a Galopin. *(d)*
Il l'en a apelé, belement li a dit:
« Certes, sire compains, bien l'avés deservi.
— Sire, » che dist li leres, « por les sains Dé, merchi.
1235 Voir, je n'i montai onques ne a ceval ne sis,
Ne ne sai chevalcier ne je ne l'ai apris,
Ançois querroie sempre, por voir le vous plevis.
Mais montés en chelui qui vous vient a plaisir,
Et je menrai ces autres tout che ferré chemin.
1240 S'il ne voillent aler, par les sains que Dieus fist,
Jes avrai d'un baston afolés et conquis. »

XXXIII

Quant Elies entent que li leres fu tés
Qu'il n'ot soing de ceval ne il n'i vaut monter,
So talent li lait faire, fache ses volentés.
1245 En lor chemin s'en entrent, qu'il quident retorner.
Une bruine lieve, ques a mout destorbé.
E les vous a Sorbrie u furent escapé;
Devant le maistre porte encontre Josué.
Quant li paiens les voit, ses reconnut assés,

1226 naura la

1250 Il met son caperon, ses lait outre passer ;
Devant aus en entra en la boine chité.
Quant il fu el palais, sel noncha Macabré,
L'amiral de Sorbrie, voiant tout son barné :
« Par Mahon, amiraus, malement as ovré :
1255 Ne verés mais Hector que tant sol(i)és amer,
Ne Gontier, vostre dru, qui vous seut coroner. »
Quant l'amiraus l'entent, le sens quide derver :
Il desfuble se cape, d'une part l'a jeté,
Puis se prist a .ii. poins, si se hurte al piler
1260 Por .i. poi que de lui ne fist les ieus voler :
« Tervagant, car pren m'arme, car je ai trop duré ! »
U qu'il voit Sarrasins, si les a apelés :
« Alés [en] tost as pors, si peçoiés les nés ;
Gardés que n'i remaigne sergant ne bacheler.
1265 Qui penra les François, ses loiers en ert tés
Je li otroi ma terre par che gant d'or brousdé.
— Sire, » dist li paiens, « mout grant tort en avés. *(fol. 85)*
Por ques querrés plus loing, quant si près les avés ?
De[lés] ces maistres portes, desous cel pin ramé,
1270 La vi ore les Frans qui mout sont esgaré :
Par le foi que vous doi, ne sevent u torner. »
Quant l'entent l'amiraus, grant joie en a mené ;
Il a dit a ses homes : « Or tost, ses amenés ;
Tel justiche en ferai con vous tuit loerés. »
1275 Et cil ont respondu : « Si con vous le volés. »
Isnelement et tost se corent adouber,
Et vestent les aubers, s'ont les elmes fremés,
Et çaignent les espees as senestres costés,
Et monterent es seles des destriers sejornés,
1280 Et getent a lor caus le[s] fors escus bouclés,
Et prendent en lor poins les fors espiés quarrés :
Jusc'a la maistre porte en sont poignant alé.

1251 en entre — 1275 si con vous loeres *répétition de* 1274

XXXIV

Or m'escoutés, signor, que Dieus vous beneie.
Cele nuit jut Elies soz le tor de Sorbrie,
1285 Avoec lui Galopins, sans plus de compaignie.
Il [l']en a apelé, se li commenche a dire :
« Cha te trei, biaus compains, Galopin, » dist Elye.
« Veés ichi .I. castel de mout grant signorie,
Les ors et les abresces, les viviers et les vinges,
1290 Les maisons as borgois et les gaingeries :
Sés tu qui [i]chou est, con a non ceste vile?
— Sire, » dist Galopin, « c'est la tor de Sorbrie;
Laiens est Macabré et ses fieus et se fille,
Rosamonde la bele, la plus gente mescine
1295 Qui soit des Alixandre dusc'as pors de Surie. »
Quant Elies l'entent, a poi n'esrage d'ire :
« Trai m'as, biaus compains, Galopin, » dist Elye,
« Qui chi m'as amené par ta grant felonie.
Plus me het l'amiraus que nul home qui vive :
1300 Je li ocis son fil Ataignant de Sorbrie.
Leres, e ! car en fui, car enblé m'as ma vie :
Mout est faus gentieus hom qui en laron se fie.
— Sire, » che dist li leres, « por les sains Dé, nel dites. (b.)
Ne vous dementés si comme veve caitive :
1305 Faites bel contenant, franc chevalier nobile.
Tant avés perdu sanc, le chiere avés palie.....
Nous nos vendromes chier, se Dieus nous donne vie. »
Il est passés avant, s'a une espee prisse,
Vers son signor se trait, vasaument li aie.
1310 Bien i fiert Galopin, entre lui et Elye,
.X. en ont geté mors, ains que mal li feissent.
Paien orent grant forche, vasaument les requissent,

1284 sor — 1296 resrage — 1306 *Lacune* — 1307 nous]ne

Desous Elie ont mort son destrier d'Orcanie,
Lui navrerent el cors et .VII. plaies li fissent;
1315 Or en a li ber .XI., n'est conrois de sa vie.....
Li doi baron s'en tornent, nes porent soffrir mie,
Ains passent d'un vivier les fossés et le rive,
Lés une barbacane, lés une roche antive,
La trovent .I. vergier qui fu tous fais d'olive
1320 Et [de] mout riches arbres qui sont de mainte guisse.
Et li vergier fu jovenes et li an(s)te florie,
Et la nuit fu oscure, Dieus le vaut, nostre sire;
Et Sarrasin s'en tornent, nes porent coissir mie:
Il en portent les mors et les navrés en guient,
1325 Voient tout le barnage l'amiral de Sorbrie.
Quant le voit Rosamonde, se commencha a rire,
Et dist entre ses dens, que nus ne l'entent mie :
« De mort et de prison desfenge Dieus Elye;
Si le conduie en Franche sain et sauf et delivre
1330 A Julien son pere, qui le pleure et dessire. »

XXXV

Galopin et Elyes s'en entrent el vergier ;
.XI. plaies ot grans, qui mout l'ont angoissié :
Plus de .VII. fois se pasme sous l'onbre d'un pumier.
Galopin en apele, se li dist tout premier :
1335 « Biaus compains, car t'en fui, Dieus garisse ton cief;
Prent conroi de ta vie, car de moi ne me ciet:
Sarrasin m'ochiront ains demain l'esclairier.
Se tu ja passes mer a nul jor desousiel
Et tu peus encontrer pelerin ne paumier   (c)
1340 Qui en aut a Saint Gille por l'apostle proier,
Si me mande mon pere, Julien le guerrier,
Et ma dame ma mere qui a son ceur irié

1315 cf. v. 1216, lacune après ce vers.

Ja ne me veront mès a nul jor desosiel,
Car Sarrasin m'ont mort, ochis et detranchié.
1345 — Sire, » che dist li leres, « non ferai, par mon cief:
Ja mès ne vous faurai a nul jor desossiel. »
Quant Elies l'entent, mout l'en prist grant pitié,
L'aige de ses biaus ieus lés la fache li chiet.

XXXVI

Elyes li vassaus, qui seufre grant dolor,
1350 Rapele Galopin douchement par amor :
« Galopins, biaus compains, por Dieu le creator,
C'or t'en fui, Galopin ; ore aproche li jor :
Sarrasin m'ochiront orendroit sans demor.
— Sire, » che dist li leres, « por Dieu que jou aour,
1355 Je devi(e)ng vostre hon lige demain avra quart jor :
Par saint Denis de Franche, mieus voil morir o vos
Entre gent Sarrasine et souffrir grant dolor
Que repairier en Franche a joie et a baudor. »
Quant l'entendi Elies, forment l'en tient a pros.
1360 Et Sarrasin s'en issent par son l'aube de jor ;
Bien en i ot .vii^{xx}. qui prissent lor adous,
Et vont querrant Elie li felon traitor;
Mais nel troveront mi[e], se Dieu plaist le signor,
Qu'il l'ont laissiet ariere el vergier sous la tor.
1365 Rosamonde s'estut sus el palais autor
Et vint a la fenestre por oir la douchour
Des oissellons menus qui chantoient al jor;
L'euriel et la merle ot chanter sor l'aubor,
Le cri del rousingol, se li sovient d'amor :
1370 « Vrais Dieus, » dist la pucele, « con tu es presious !
Tu fais croistre les arbres, porter foilles et flors,
Et le blé nous fais sourdre de la terre en amour,
Et en la sainte viergene presis anonsion,
Biaus sire, et sanc et char i presistes por nous.

1375 Aussi con chou est voirs, biaus sire glorious, *(d)*
Desfendés le Franchois de mort et de prison.
Por la soie amistiet renoierai Mahon
Et guerpirai ma loi, que je voi que n'est prous. »
Et Sarrasin les quierent, qui vers Dieu n'ont amor :
1380 Rosamonde les voit, tous les tient a bricon[s],
Fierement lor escrie : « Fil a putain, glouton,
U devés vous aler ? Mahomet vous confont.
Por .I. seul chevalier n'en vi tant en esrour. »
Galopins ot la noisse, le friente et le tabour,
1385 Et l'esfroi des paiens, mout en ot grant paour :
Venus est a Elie, si l'enbrache desous,
Si l'a mis a son col, si l'en porte a estrous,
Que li chiés li traine contre val en l'erbous,
Et les jambes par tere, car Elies fu lons ;
1390 Car Galopin li lere[s] estoit mout cours.
Rosamonde s'estut as fenestres amont,
Fierement li escrie : « Biaus amis valeton,
Tu as si peu de cors et as si grant valour,
C'un chevalier en portes o trestous ses adous !
1395 Met le jus, biaus amis, si t'en fui a estrous,
Et se tu ne le fais, tu feras grant folor,
Que tu troveras ja teus .x^m. compaignon[s],
S'il te peuent trover, voirement t'ochiront. »
Quant Galopins l'entent, mout en ot grant paour :
1400 U il vausist u non, si mist jus son signor.

XXXVII

Rosamonde la bele s'estut a la fenestre, *(fol. 86)*
Vestu(e) ot .I. bliau d'un paile de Biterne,

1384 et le fr. le t. — 1394 trestout — 1400 *Miniature avec cette rubrique* : Ch'est chi ensi con Galopin en porta sonsignor navré el vergier et con la puchele le vit.

Afublé .j. mantel, a mervelles fu bele.
Tous les degrés avale, si est venue a tere
1405 Et desfreme .i. guicet d'une fauce posterne,
Par u el(e) sieut issir et [les] s[oi]es pucheles,
Quant vient el mois de mai, por colir la florete.
Venue est a Elye qui se pasme sor tere,
Son cief li a lor mis par desous son brac destre,
1410 Puis l'en a apelé la cortoisse puchele :
« Qui es tu, chevalier ? » che li a dit la bele.
« Aimes tu Mahomet qui cest siecle governe ?
— Naie, » che dist Elies, « ne tous ciaus qui le servent,
Ains fui nés de Saint Gille de Provence la bele.
1415 Fieus Julien le conte a le kenue teste :
Avant hier m'adouba, che vous di, damoisele.
Illeuques me fu dit et conté tout achertes
Paien et Sarrasin essilloient la tere.
Je les ving soz requere, sor moi torna la perte :
1420 .XI. plaies ai grans, qui durement m'apressent ;
Je n'en quic escaper que la vie ne perge.
— Amis, bien vous connois, » dist la franche puchele.
« Ces nostre gent se plaignent au matin et au vespre :
De nos millors amis nous avés fait grant perte.
1425 — Dame, laissieme ester, perdus sui sans confesse,
Certes, et mout me het li rois de ceste terre :
Hier li ochis son fil Ataignant d'Oliferne ;
S'il me pooit tenir, por tout l'or d'Engleterre
Ne seroie esparngiés ne me tolist la teste.
1430 — Or ne vous esmaiés, » dist la franche puchele :
« L'amiraus est mes peres, bien en quic le pès faire.
Li enfes fu mes freres, li chevalier honestes.
Or soiés aseur ja n'en avrés moleste ;
Certes je vous aim plus que nule riens en tere.
1435 Venés ent avoec moi, » dist la franche pucele,
« En tel lieu vous metrai ains petitet de terme

1408 Venus — 1413 tout — 1419 sor — 1429 esparengies

Que vous serés tous sains ains que viegne li vespres. *(b)*
— E! Dieus, » che dist Elies, « comment pora chou estre?
Che ne poroit nus faire fors Dameldé chelestre ! »
1440 Galopins et Elies vont après la puchele :
En une cambre en entrent, que fu toute sos·tere,
Mout fu bien pointuree a oiseus et a bestes.
En .i. lit le coucha, dont d'or est l'espondele,
D'un covertoir l'acevre por le caut qui l'apresse.
1445 Rosamonde s'en torne et son ecrin deferme :
A ses mains qu'el ot blances en a traite[s] .ii. herbes
Que Dieus ot sou ses piés, le glorieus chelestre,
Quant en crois le leverent la pute gent averse.
En .i. anap de madre les souda la puchele.
1450 Onques Dieus ne fist home, se le col en traverse,
Que ne soit ausi sains con li pisson en eve ;
Ele en dona Elie, au chevalier honeste.
Li ber en a beu por l'amor la puchele :
Tous fu sains et garis, Galopin en apele :
1455 « Chaiens est paradis et la gloire chelestre ;
Je n'en quic mais issir, se tous jors i puis estre.
— Sire, » dist Galopins, « por la vierge puchele,
Mout par devés amer Rosamonde la bele. »

XXXVIII

Rosamonde la bele ama mout le vasal.
1460 Teus .ix. herbes li done, qu'ele li destenpra ;
Puis qu'il en ot beu et le col trespassa,
Tout fu sains et garris, a mangier demanda :
Li gentieus hon en ot plus que il ne rova.
Li bains fu aprestés u Elies entra :
1465 .I. tel baing li dona quens ne dus tel n'enn a,

1451 p. sor tere — 1452 au].i. — 1456 tout

Puis li vest .I. hermin qui jusc'aval li (a)bat,
Heusses ot cordouanes, esperon[s] a esmal :
Rosamonde la bele par les flans l'enbracha,
Sor .I. lit l'a asis geteis a cristal ;
1470 .XL. fois li baisse et le vis et la char.
Cil li guenchi la bouche, que el n'i adesa :
« Galopin, » dist Elies, « vois quel feme chi a ?
U roialme de Franche si gente nen avra.   (c)
Car pleust ore a Dieu qui le mont estora
1475 Je eusse chaiens et Gautier et Gerart
Et Guimer l'amoreus et le conte Aimart
Et Hugon de Paris et son compaing Guichart
Et Guillaume d'Orenge et son frere Bernart
Et Julien mon pere, le chevalier loial,
1480 Et fussent adoubé d'armes et de cheval,
Et fussiemes la sus en el palais hautal :
Anqui le comperoiet li paien desloial. »

XXXIX

Elyes li vasaus a le fiere poissanche
Fu .XV. jors tout plains laiens en .I. canbre,
1485 Que paien ne le sorent ne il n'i ot doutanche.....
« Gentieus fius a baron, vois con sui bele et gente :
.VI. rois mout orgellous me quierent et demandent,
Clamador d'Abilant et .I. rois de Brehaigne
Et Hector et Turfier et Morin d'Abilande,
1490 Lubiens de Baudas a la barbe ferande :
Ichil en est li maistres, que il a plus poisance.
Entre lui et mon frere en ont fait convenance
A bataille fremee par le fust de lor lances.
S'il l'ochist et afole, tous jors serai dolante.

1471 que il — 1485 *Lacune* — 1494 tout

1495 Ains me prenge tés maus que il me face estendre,
Que me parte li ceurs et li cors et li menbre,
Que Lubiens li vieus a la barbe ferande
Mon gent cors avenant ait ja nuit en sa canbre ! »

XL

Elyes li vasal fist forment a prissier :
1500 Dedens le canbre fu mout tresbien aaisiés,
Que paien ne l'i sorent, li quiver renoié.
Rosamonde le sert de gré et volentiers,
Et s'amor li pressente, la bele au cors legier.
Macabrés l'amiraus fu assis al mengier,
1505 Mais ançois qu'il en lieve ert dolans et iriés :
Lubien de Baudas, li chenus et li vieus,
Fu entrés en sa tere a tout .xx^m. paiens ;
Il fait gaster les vinges et tos les blés soier ;
Il a pris .I. message, al roi l'a envoiet,   (d)
1510 Que il li doinst sa fille a per et a moillier
Et trestoute sa terre ensi con il le quiert,
U son fil li envoit, Caifas le proisiet,
U Jossé d'Alixandre u Malpriant le fier ;
Li qués d'eus qui en isse, mout ert mal engingiés :
1515 Bien peut estre seurs de le teste a tranchier.

XLI

Macabrés l'amiraus fu assis al disner,
Mais ançois qu'il en liet ert dolans et irés.
Lubien de Baudas, li viés kenus barbés,
A tout .xx^m. paiens est en sa tere entrés.
1520 A tant es le message sor le palais monté(s),
A sa vois qu'il ot clere commencha a crier :
« Macabrés de Sorbrie, fai ta gent escouter.

Sés que mande mes sire, Lubiens li barbés?
Que li doignes ta fille, Rosamonde al vis cler,
1525 Et trestoute ta terre ensi con ele apert,
U ton fil li envoies, Caifas u José :
Li quel d'eus qui en issé, mal li ert encontré,
Bien peut estre seur de le teste a coper. »

XLII

Macabré l'amiraus se lieve en son estage,
1530 Il respont belement et si dist al mesage :
« Amis, cil vostre rois me mande grant outrage :
Chi sera o mes fieus o tel home en la place
Qui li contredira le treu par ses armes. »

XLIII

Li messages s'en torne, le parolle ot bien dite.
1535 Macabrés l'amiraus ne s'aseura mie,
Son fil en apela, Caifas de Sorbrie :
« Tu feras cheste joste que por toi ai enprisse.
— Sire, » dist Caifas, « peciés le vous fait dire :
Bien a passé .iii. jors que la fievre m'est prisse.
1540 Ne seroie en cheval por a perdre la vie.
Je ne puis chevalcier, la vigor m'est faillie ;
Mès donés li ma seur que il vieut et desire
Et trestoute la terre ensi con il l'a quisse.
U peut ele mieus faire ? trop est manans et riche.
1545 Et s'ele le deviee, la garche soit honie ! *(fol. 87)*
Mahomet me confonge, qui tout a en baillie,
S'en avés ja par moi ne secor ne aie.

1523 mes peres — 1532 f. .i. t. — 1534 dire — 1545 deues

XLIV

— Biaus fieus, » dist l'amiraus, « mout m'as mal engignié.
Por toi pris je la joste encontre Lubien :
1550 Que ne le vieus tu faire? mout t'en es avilliés.
Ne m'en caut ; ta seror li donra a mollier
Et trestoute la terre ensi con il le quiert.
Après ferai .i. plet, qu'en avrai .i. quartier,
Dont je vivrai a aisse sans autre parçonnier,
1555 Car li hom qui tout pert doit estre coureciés ;
Ne je ne m'os combatre, que poi ai chevaliers.
— Sire, » dist Caifas, « non feras, par mon cief :
Mieus aim ge estre povres, deshiretés sans fiés,
Que je m'aille combatre encontre Lubien :
1560 A l'espee tranchant me coperoit le cief. »

XLV

Quant Macabrés entent de son fil le corage,
Que ne vaut chevalchier ne ne se vaut combatre
N'encontre Lubien n'ot cure de bataille,
L'amiraus se porpense, que fu cortois et sage,
1565 Cil qui tranche son nés, il vergonge sa fache :
Por che qu'il est ses fieus, si n'en vaut faire fable
Josien en apele : « Biaus amis, pren tes armes,
Tu feras cheste joste por moi, ceste bataille.
— Sire, » dist Josiens, « volentiers i alaisse ;
1570 Mais jou ai tel ensoigne que n'en doi avoir blame :
Quant sui le François, après qui m'envoiastes,
Moi feri ens el cors, or[e] saine la plaie ;
Mahomet me confonge, qui tout a en sa garde,
Se ja avés secor de moi ne avantage. »
1575 Quant l'amiraus l'entent, a poi que il n'esrage.

1549 Por coi — 1562 ne voist

XLVI

 Quant l'amiraus entent le raisson de Jossé,
Qu'il ne s'i combatra ne il n'i osse aler
Ne faire le bataille vers le Turc desfaé,
Malpriant apela : « Biaus amis, cha venés ;
1580 Drus estes Rosamonde, nos le savons assés,
Por la soie amistiet est vostre escus troués :   *(b)*
Vous en ferés bataille volentiers et de gré ;
Or porterés se manche en bataille campel.
Par itel convenant vous alés adouber
1585 Et faites le bataille et che roi me matés,
Que ja mais li treus ne me soit demandés :
Je vous donrai ma fille Rosamonde al vis cler
Et trestoute la terre ensi con ele apert.
— Sire, » dist li paiens, « par Mahon, tort avés :
1590 Par tans avrés le los al vilain rasoté
Que il hice son chien la u il n'ose aler,
Ains se tient a son huis et lait avant aler :
Il n'en chaut quel part tourt, puis c'a son huis fermé.
Si con vous estes sire de la terre clamés
1595 Et rois et poestis, et les honors tenés,
Si rechevés les joustes et les estors campés,
Et soufrés les grans plaies et les cos endurés.
Mahomet me confonge qui tout a a saver
Se je monte en cheval por mes armes porter. »
1600 Quant l'entent l'amiraus, le sens quide derver,
A sa vois qu'il ot clere commencha a crier :
« Fieus a putain, glouton, mout vous voi esgaré.
Autretel me feistes a l'issue des nés,
Quant laissastes Elye le François escaper.
1605 Tervagant ! se l'eusse, bien me fust encontré :

1593 p. court

Cil feist la bataille vers l'amiral el pré. »
Mais [il] est en la cambre, qui bien les oi cler.
L'amiraus en apele son canberlenc privé :
« Alés moi de sa cambre Rosamonde amener :
1610 Orendroit li donrai, ja nen ert trestorné. »
Dient li lecheor : « Mout avés bien parlé ;
Chou est li mieudres plais que i puissons trover.»
Dusc'as huis de la cambre en est venus Josés,
Il est passés avant, si a l'anel crollé.
1615 Rosamonde l'oi, s'a le duc apelé :
« Jentieus fieus a baron, ja serés afolé.
Je quic qu'espié estes, cha dedens encussé : *(c)*
Mes peres vous vieut faire tous les membres coper.
— Hé ! las, » che dist Elies, « que ne sui adoubés !
1620 C'or nen ai en mon dos mon blanc auberc safré
Et laciet le vert elme, l'espee a mon costé,
Et li vairès d'Espaigne me fust chi aprestés !
Con vous me veriés ja de ruistes cos doner,
Et mon fier vaselage fierement esprover ! »
1625 Et respont la pucele : « De folie parlés :
Par Dieu, de le bataille n'i avra mot soné,
Que paien ont grant force, tost seriés maté.
Et .i. hom vers .xx^m. comment poroit durer ?
— Ne sai,» che dist Elies; « quel consel me donrés? »
1630 Et respont la pucele : « Consel avrés assés :
A enfant vous tenrai, se plus me demandés.
Vasal, en chele cambre laiens vous en entrés
Par cel guicet la jus que vous des ieus veés ;
La troverés .iii. lis de cristal tresjetés :
1635 Li pavemens en est tous a fin or ovrés,
Les colombes d'ivoire, qui tienent les pilers,
Ains ne furent veues plus rices en chités.
.Iii. chevalier en coste i peuent bien aler
Tout lor lances levees, sor les destriers armés.
1640 Trespassés les abarge[s] et gardins et fossés,
La verés vous les huis et le palais torner,

Et les vieutres detraire, (et) les ors encainer,
Et les pisons noians et le ciel estelé,
Et toute riens en tere comme l'arce Noé
1645 Ai ge fait en ma canbre a fin or pointurer.
S'i a une richece dont vous ne vous gardés,
.IIIIe. chevaliers as manteus engoulés,
Et sont home ton pere, ne le quier plus cheler,
Julien de Saint Gille, qui tant fait a loer ;
1650 Bien quide l'amiraus que soient mort geté ;
Mais je fac les François en ma cambre garder,
Les h[a]ubers et les elmes, les escus fors et lés,
Et cascun tient s'amie par l'ermin engoulé, (d)
Qui est fille de conte, de duc u d'ami[r]el,
1655 Et si que la plus [vieille] n'a pas .xxx. ans passé :
Quant il vieut, si le baisse douchement et soef,
Qui vous aideront bien, se mestier en avés.
— Dame, » che dist Elies, « .v^e. merchis et grés.
— Aval par devers destre, quant vous i enterés,
1660 Troverés le chiterne a fin or pointuré,
Et le mien lit demaine mout bien connisterés.
— Ne sai, » che dist Elies, « boin consel me donés. »
Et respont la puchele : « Encor(e) vous dirai el.
Trespassés tous les autres, devant vos ieus gardés :
1665 Par art de ningromance sont li limon fondé ;
Aussi siet avenant con s'il fust compassé.
S'i a .i. vermeil paille galasien ovré :
Del plus fin or d'Arabe i a .c. mars saudés,
Si [i] a .m. clokete[s] qui pendent d'or fin cler ;
1670 Touchiés i de vo doit .i. petitet assés :
Amis, en tant de terme con .i. hons peut aler,
Mais qu'il soit auques lons .xxx. piés mesurés,
Vous sonera li lis menuement soef ;
Ne harpe ne viele ne ro(u)te ne jougler
1675 Ne nus oiseus qui soit, tant sache de chanter,
Plus volontiers n'orois, je vous di par verté. »
Elye entre en la cambre, .III. tans i a trové

Que la puchele n'ait de bouce devissé.
Galopin le petit ont defors oublié.
1680 Rosamonde la bele li va l'uis defermer :
Signor, tout premerains i entra Josué,
Li quiver d'Alixandre, qui tout confonge Dé,
Qui Galopin avoit et cachiet et navré :
U qu'il voit le baron sel reconnut assés.
1685 « Cuiver, » dist la puchele, « c'avés vous enpensé,
Qui entrés en ma cambre sans congiet demander ?
Près va je ne te fac tous les menbres coper,
U ferir u bien batre u loier a .I. pel.
— Dame », dist li paiens, « mout grant tort en avés : *(fol. 88)*
1690 Vostre peres vous mande c'alés a lui parler. »
Et respont la pucele : « Je ne li puis veer. »
Ançois qu'ele vausist de la canbre torner
S'est faite la puchele gentement atorner:
En son dos a vestu .I. hermin engoulé,
1695 D'une lasnete d'or ot estrai[n]s les costés,
Unes cauches mout riches, solers bien pointurés ;
Un mantel covoitous ot a son col jeté :
Uns rices amiraus li ot fait presenter,
.III. ans mist on a faire ains que fust parovrés ;
1700 Et fu d'un cabetenc tout environ ourlés.
Richement ot la bele son gent cors acesmé ;
De plus bele pucele n'oi nus hon parler.
Les ances ot bassetes et estrois les costés
Et la bouche bien faite et les dens ot igués
1705 Et sont fait par compas, con s'il fuissent planté ;
Li alaine de li par flaire tant soef
Que nes .I. encensiers de mostier enbrasé.
Onques Dieus ne fist home qui de mere soit nés,
Se il tresbien le garde, que n'en soit trespensés.
1710 Faucons ne nus ostoir ne oiseus d'outre mer
Ne porte si biaus ieus ne de si grant clarté

1697 maltei — 1703 estroit — 1711 de biaute

Con porte la pucele qui tant a de biauté
Or s'en va la pucele a son pere parler.

XLVII

Signor, quant la puchele en entra en la sale,
1715 Rois Macabrés le prent, li vieus, entre sa brace,
Delés lui l'a assis et si l'acole et baise :
« Fille, » dist l'amiraus, « mout estes couveitable.
Por vostre cors me croist mout dolereus damage :
Lubien de Baudas a le chenue barbe
1720 Est issus de sa terre, s'est entrés en mes marces,
De ton cors le vaillant li ai fait otriage ;
Mès il me ju[er]raançois que de moi parte
Coronee serés ains le feste de Paske.
— Sire, » dist la pucele, « ains me prenge li rage,
1725 U male fondre, sire, m'eust ançois [toute] arse *(b)*
(Que) Lubien de Baudas a le chenue barbe
Mon gent cors avenant ait ja nuit en sa garde.
Ne grate le sien dos ne que sente se barbe. »

XLVIII

Rosamonde la bele, qui preus fu et nobile,
1730 En apela son pere, se li a pris a dire :
« Biaus pere, donés moi, » dist la franche mescine,
« .I. vallet voil avoir touset de barbe prime,
Je ne quier que il ait que l'espee forbie,
Qui por amor de(l) moi fache chevalerie :
1735 N'ai cure de viellart qui le pel ait froncie ;
Peres, il a le loi a le pume porie,
Qui par defors est verde et par dedens vermine

1715 ses bras — 1717 conuenable

Ne poroie soufri la soie char flai[t]rie :
Mieus m'en fuiroie (f) voir, comme une autre caitive,
1740 Ens en .I. autre tere a deul et a martire,
Que Lubien li fel a le barbe florie
Mon gent cors avenant eust en sa baillie.

XLIX

En la moie foi, sire, » dist la bele al vis f[i]er,
« Caifas li miens freres, qui tant fait a prisier
1745 Ne Jossé d'Alixandre ne Malpriant le fier
Encore n'ont il gaires Lubien essaiet,
Ne son grant vaselage prové ne acointié.
Par mon cors seulement vous i quidiés paier ;
Mais par icel Mahon qui tout a a baillier,
1750 Iceste grant paor ne vous vaut .I. denier ;
Envers .I. autre afaire vous en quic commenchier.
Je manderai en Franche les barons chevaliers,
De[s] plus haus pers de France, qui servent por denier
Certes je vous ferai tous ces murs trebucier
1755 Et toutes ces parois cheoir devant vos piés.
Ven[r]és avant, biaus pere, si me charrés as piés,
Et si me proierois et manaide et pitié.
Je quic avoir ains vespre .I. itel chevalier
Qui ert de paienie u [ert] de crestiens,
1760 Qui fera la bataille encontre Lubien.

L

En la moie foi, sire, » dist la bele al vis cler,   (c)
« Or me dites, biaus peres, par Mahomet no dé,
Se je vous pooie ore .I. tel home trover,

1754 tout — 1756 chees as — 1757 proieroie

Qui feist la bataille vers l'amiral el pré,
1765 Li feriés vous [bien] de son cors seurté,
Que il n'i eust garde au venir ne a l'aler
Ne qu'il ne fust malmis, ochis ne afolés?
— Fille, » dist l'amiraus, « de folie parlés.
S'il m'avoit d'un espiel par mi le cors navré(s),
1770 N'i avroit il ja garde n'al venir n'a l'aler. »
Et respont Rosamonde : « Premier le me jurés.
— Voire,» dist Macabrés, «.c. fois, se vous volés »
Il a fait Mahomet el palais aporter
Desor .i. vermeil paile galasien ovré(s) :
1775 Le[s] pieres presieusses getoient grant clarté.
La jura l'amiraus quanqu'ele ot devissé ;
Paien et Sarrasin, et li boin et li mel.....
Rosamonde le voit, grant joie en a mené :
Arier(e) vint en la canbre, Elie a apelé.

LI

1780 Rosamonde la bele s'en entra en la cambre,
A haute vois escrie : « Sire Elye de Franche,
Des or parlés en haut que il n'i ait covranche;
Vous ferés la bataille au fer de vostre lanche.
Gentius fieus a baron, con puis estre dolante!
1785 Lubien de Baudas a la barbe ferrande
Est issus de sa terre, s'est venus en no lande,
Au riche roi mon pere me requiert et demande,
Portera m'ent li fel a Baudas en sa cambre,
Se je ne puis trover home qui me desfenge.
1790 Gentieus fieus a baron, voi con sui bele et gente :
Mout ferés bel serviche, s'a Dieu rendés .i. ame.
— Dame, » che dist Elies, « ne sui pas a aprendre.
Salemon si prist feme, dont sovent me ramenbre,

1777 mal. *Après ce vers il y a une lacune.*

.IIII. jors se fist morte en son palais meesme,
1795 Que onques ne crola[ne] puing, ne pié ne membre;
Puis en fist .I. vasaus toute sa consienche.
Par le foi que vous doi, fole cose est de feme: *(d)*
Certes con plus le garde donques le pert on senpre.

LII

— Sire, » dist la puchele, « n'ai soing de ranproner;
1800 Gari vous ai des plaies, savoir m'en devés gré.
Feré vous la bataille, dites, u le lairés?
Se vous vers Lubien me volés contrester,
Ja ançois ne verés Pentecouste passer,
Que vous quic de Sorbrie faire roi coroné.
1805 — Dame, » che dist Elies, « car me laissiés ester.
Che n'est mie marchiet por l'argent deviser :
Je ne prendrai jor [feme] se ne croit en mon Dé;
Mais, por l'amor des plaies dont vous gari m'avés,
Se vous cheval et armes me voliés doner,
1810 Je m'en istroie fors por mon cors deporter
Encontre l'amiral dont je vous oi parler.
Quant partira de moi, se il osse joster,
Ja ne s'en gabera, se Dieus me vieut salver.

LIII

Par mon cief, damoisele, » dist Elies de Franche,
1815 « Chanpion avés boin por droit porter sa lanche.
N'a paien en Espaigne de si riche poissanche,
Se il vous a dit cose qui vous tort a pessanche,
Et jel puis encontré par le fer de ma lanche,
Quant il partra de moi, ja nen avra beubanche.

1794 meisme — 1810 fors]fros

1820 — Sire, » dist la pucele, « mout me faites joianche.
Et je guerpi Mahon por la vostre creanche :
Por la vostre amisté m'en irai jou en Franche.
Mais, quant che venra senpre que vous venrés ensamble,
Gardés vous de cheoir, qui qu'en sele remaigne.
1825 Li glous a .i. destrier, il n'a si boin en Franche,
C'est Prinsaus l'Aragon qui fu nés d'Oriande :
Quant il vient en la presse, que la bataille est grande,
Lors saut de .iiii. piés et brait et fiert des jambes. »
Galopin saut en piés, quant oi la loanche,
1830 Et vient a son signor sans nule demoranche ;
Maintenant li a dit li leres sans doutanche :
« Gentieus fieus a baron, de coi avés doutanche ?
Faites querre les armes, beles et avenantes, *(fol. 89)*
Dites la damoisele qu'ele vous baut sa lanche ;
1835 Ançois la mienuit que li premiers cos cante,
Vous rendrai le destrier, qui qui en ait pessanche.
Orendroit le vois quere sans nule demorance,
Nel lairai por paien que li cors Dieu cravente,
Que je nel vous amaing, soiés ent a fianche. »
1840 Et respondi Elies : « Jhesu t'en doinst poissanche ! »
Lors parla la puchele a Elie de Franche.

LIV

« Par mon cief, sire Elie, » ce dist la damoisele,
« Li destriers est si boins, il n'a millor en terre.
Des grans bontés de lui vous dirai tout acertes :
1845 Il n'est home en cest siecle, si le prent par le resne,
Se il le prent au frain et il monte en la sele,
S'il n'en est mout hardis, que il nen jete a tere ;
Et bien reset joster et droit porter la teste. »
Galopins saut en piés, quant oi la novele,

1848 ne set

1850 Et afuble une cape : n'ot que .III. piés sor terre ;
Prist .c. saus de denier, entor lui les areste ;
Viseus fu mout li leres de sa besoigne faire.
Et d'ileuckes s'en torne, que il plus n'i areste :
Fors de la cambre vait a l'uis de la posterne,
1855 Trés par desous la tor, illeuques trove .I. eve :
Maintenant entra ens, n'a paor que il perde ;
Il a passé a no, d'autre part vint a tere,
Lors passa .I. vergier et trestoute[s] les estres,
Dusc'au tref l'amiral ne fine ne ne cesse :
1860 Cha defors l'a trové, par defors les herberges.
A tant es le laron por conter ses noveles :
U qu'il voit Lubien, gentement l'en apele :
« Icil grant Mahomet qui le siecle governe,
Cil saut l'enpereor et tous ceus qui le servent ! »
1865 Et Lubiens respont, que il ne s'i areste :
« Amis, et cil saut toi ! Dont es et de quel terre ? »
Galopins li respont, qui estoit mout fors leres :
« Sire, d'outre mer sui, del val desous Luiserne.
Marcheans ere riches encore ersoir al vespre : *(b)*
1870 Une barge menoie, ains hon ne vit tant bele,
Tant i avoit argent et de l'or de Palerne,
Manteus et siglaton et paile de Biterne ;
.Xx. destriers i avoit et .xx. mules mout beles,
Celes vous envoioit li sires de no terre ;
1875 Car il vous aime mout et si le fait acertes.
Macabrés me taut tout et mes nés et mes barges,
Et mes homes a mors et moi geté en l'aigue.
A vous vieng, sire rois, que droiture me faites. »
Quant l'entendi li rois, por .I. poi qu'il ne derve ;
1880 Il se drecha sor piés, mist se main sor sa teste :
« Mar le pensa li glous, par ceste barbe bele !
Vostre avoir raverois et vo barges refaites,
Et del sien .xv. tans ains, que fine la guerre,

1864 tous ceus] tout cil

Se jou ai la mescine, tes avoirs torne a perte ;
1885 Et se n'ai la pucele, dont commenche la guerre :
Ja mais ne finerai, si l'avra cha fors traite.

LV

— Sire, » che dist li leres, « de l'avoir ne me chiet,
Car j'en avrai assés, je sai bien gaignier ;
Mès des destriers me poisse, c'avoie forment cier,
1890 Que .I. en i avoit, qui mout fist a proisier,
.I. vairet mout tresjent, .I. hermin montenier.
Il a maigre la teste et l'oil apert et fier,
Petites orilletes, si a le crin deugié,
Les jambes longes, si ot coupé le piet,
1895 En nul pais qui soit n'en a nul plus legier.
Mieudres destrier ne fu onques por gerroier :
Quant estoit en bataille et en estor plenier
Et il trovoit a terre abatut chevalier,
Tant le foloit des piés que tout ert debrisiés ;
1900 De baston ne d'espee ne covenoit touchier.
— Tai, glous, » dist l'amiraus, « lai ester ton pladier :
J'ai encor(e) tel c[e]ens que mieus fait a prisier ;
Je nel donroie pas pour .M. livres d'or mier.
S'avoies asamblé des tiens .XV. millier[s]
1905 Et trestous ciaus de Franche, quanqu'en a u resnier, (c)
Ne querroie tous ciaus por ichestui cangier ;
Orendroit le veras, ja trestorné nen [i]ert.
— Sire, » che dist li leres, « por coi le verai gié ?
Je ne sai riens de che ne ne connois destriers.
1910 Puis que jel voi troter, a mout isnel le tieng.
Mieus ameroi .I. peu, s'il vous plaist, a mangier ;
Tant ai esté en l'aigue tout le cors ai molliet. »
Et respont l'amiraus : « Par mon cief, vilain [i]és.

1905 trestout — 1906 tout — 1908 veroie ge

— Sire, » che dist li leres, « or ne vous courechiés :
1915 Puis que vous le volés, jel verai volentiers. »
L'amiraus se corouche, s'a bouté l'eskekier :
Mieus venist l'amiral c'a son giu entendie[st].
Tart estoit Galopin que l'eust aprochié.
Les aises au cheval vous do je dire bien :
1920 Il ert en .I. travail bien saielé d'achier,
Le menor des estaches ne menast .I. somier.
Il ne remuist mie por le keue a tranchier,
A .III. kaines d'or fu par le col loiés.
.IIII. paires de buies ot li chevaus es piés ;
1925 Par dedens sont feutrees por le poil que ne ciet.
De[l] feure et de l'avaine ot de si al poitrier
Et boit a une nef entaillie d'or mier ;
L'aige li cort devant a canel aaisiet.
.Xxx. gardes i a, qui gardent le destrier,
1930 Et quant li .xv. dorment, les .xv. esteut vellier.
Il n'en i a .I. seul tant orgelleus et fier,
S'il le treve dormant, ja meche autre loier,
Ja n'i metra escange fors que les ieus del cief ;
Forjurer li fait tost le terre et le renier,
1935 Et lui et son lignage(s) fors del pais cachier.
.III. chiereres i ardent, qui mout font a prissier.
L'amiraus le descevre, s'ot le costé delgié,
La teste fu bauchande et tout li .IIII. piet.
Il a dit au laron : « Ere li tien si chier ?
1940 — Nenil, » che dist li leres, « ja celer nel vous quier :
Ne vi mais nul si bel ne si bien estachié. » (d)
Et dist entre ses dens que nus ne l'entendié :
« Male garde en ferois ains le jor esclairier :
Je le vous enblerai, se jel puis esploitier,
1945 Anuit en ceste nuit, ja si bien n'ert gaitiés.
Sire Elie de Franche, se cestui aviiés,
U roialme de France vanter vous en poriés

1927 nes — 1935 son] ses

C'ains hom de vo lignage ne fu sor tel destrier.
Mais mout est en fort lieu, ne sai comment che [i]ert ;
1950 Or en penst Dameldé qui tout a a jugier!
Par l'ame de mon pere, autant aim cel destrier
Con s'il fust la defors a .I. arbre atachiet. »

LVI

Des puis que Galopin ot veu le cheval,
Nen ot bien ne repos, ne aillor ne pensa.
1955 Sarrasin s'estormissent, venu sont as ostaus.
Il demand[er]ent l'aigue, al mengier vont sear.
Après s'en vont dormir, que ne pensent nul mal,
Que del petit laron ne s'en donent regart.
Galopins ne s'oblie, venus est au travail,
1960 Il s'apuie a le trelle, si garde le cheval,
Dameldé reclama le pere esperital :
« El ventre del pisson garistes saint Jonas,
Les .III. enfans garistes, que il ne furent ars.
Sainte Marie dame, donés me che cheval,
1965 Que ne me puist blechier ne ne me fache mal. »
Tant entent au proier Galopin li vasal
De l'aleine de lui [s']esfree li cheval ; *(fol. 90)*
Il saut de .IIII. piés, si abat le traval :
Les gaites le coisirent, si saillent cele part
1970 Et saisirent lor lances et gaverlos et dars,
Et kierent par le canbre .VII^{xx}. bien par esmal.
Galopin fu en l'onbre, qui petit les douta,
Tant vont près del laron que cascun le frota.
S'il ot adont paor, je ne m'en mervel ja.
1975 Quant il ne trevent riens, s'asient as escas
Et dist li uns a l'autre : « C'a senti chis chevals?

1952 *Miniature avec cette rubrique* : Ch' est chi ensi con Galopin enbla le boin destrier.

— Par mon cief, » dist li maistres, « sejornés est et cras
De mout petite cose li chevaus s'esfrea. »
Galopins ot une herbe des puis de Garnimas,
1980 Que Basin ot tolu, quant Garin encanta,
Quant li fain de la loge si fort les engresa :
Signor, che fu la nuit que Karles i ala.
Mist se main a sa bourse, l'erbe fors en geta,
Tant le frota li leres que li odeurs en saut ;
1985 Par entre .ii. les [g]railles l'a lanciet el travail :
Les gardes s'endormirent, lors fu seus li cevals :
« Par mon cief, » dist li leres, « conquis estes et mas ;
Tout soit fel l'amiraus, se ne vous pent et art. »
Puis a fait ses engiens, si desfait le travail,
1990 Il le(s) prist par les grailles, si le trait d'une part.
Hé ! Dieus, che fu mervelle, quant il le remua ;
Tant par a fait li leres que il vint al cheval,
Les costés li planoie, que mener l'en quida ;
Li chevals nel connut, as dens si le combra,
1995 Puis le fiert contre terre et en haut le leva,
Grans .xv. piés pleniers le jeta contreval,
Si le fiert a .i. pel, por poi que nel creva.
Li leres fu blechiés, .iiii. fois se pasma,
Lors a juré Jhesu ja mais nel baillera,
2000 Soef entre ses dens Elie reclama :
« Hé ! Elyes de Franche, perdut as le cheval. »
Li leres se dolut del grant cop que il a.
Lors a rejuré Dieu que point ne le laira   *(b)*
Pour Elie de Franche, qui le don en dona.
2005 Au pooir que il ot avala contreval ;
Il trova .i. baston, le gros en enpuigna,
Par les costés c'ot gros .xxx. cos li dona,
Tout le fait estre cois et l'orgeul en abat,
N'onques puis ne se mut ne les piés ne crola.
2010 Galopins li escrie : « Ne vous movés vous ja !

1983 fort

Folie feriés, se Dieus ait en moi part. »
Lors a pris une sele qui pendoit d'autre part,
Se li mist sor le dos, belement le çaingla,
Le frain li mist el cief, les caines abat,
2015 Par son estrier senestre Galopins i monta;
Il ne sot chevalcier, de chou fist c'on musart :
Li chevals passe avant et il ciet a .i. fais,
Por .i. peu ne se brisse les costés et les bras.
Lors rejure Jhesu ja mais n'i montera,
2020 Ne ne set chevalcier, ja mais ne l'aprendra.
S'il eust une corde, as arçons se loiast.
Or l'amaine après lui soavet tout le pas:
Assés s'en vait plus tost que li chevaus ne fait.

LVII

Vai s'ent li petit leres, s'en maine le destrier.
2025 Li chevaus nel connut, en grant vieuté le tient,
Petit le voit, ne l'a gaires proisiet,
Il joint les .ii. orelles, si regete des piés,
Hauche devant le destre et Galopin refiert,
Cheir l'a fait a tere, mais ne l'a pas bleciet.
2030 Galopins fu legiers, si resailli en piés,
Neporquant si l'ataint par desous le braier.
Par le mien ensiant, se bien le consuiest,
Ja mais li petis leres n'enblast le boin destrier ;
Prist un baston d'un[e] ausne, si repaire au corsier,
2035 Par les costés c'ot gros .xl. cop l'en fiert,
Tout le fait coi ester, ne se meut li destriers,
Se li tranble li cors con feulle de lorier.
« Certes, » dist Galopins, « justiche a boin destrier.
Ne vous movés, ja folie feriés ;   *(c)*
2040 Si m'ait Dieus de gloire, bien tost le comperiés. »

2022 soaues — 2032 leust consui

Puis a pris une corde, el col li a lachiet,
En sus de lui le maine, que durement le crient.
Jusc'au tref l'amiral ne se vaut atargier;
Il le trove dormant en son pavellon cier,
2045 Delés lui pent s'espee al poing d'or entaillié.
Quant Galopins le voit, s'en fu joiant et lié,
. . . .
. . . .
Puis a passé les aigues et les viviers;
2050 Enfressi en la cambre pointuree a or mier,
Ou Elies se dort. Ains qu'il fust esvelliés,
Li fu près li chevaus que tant a covoitié;
Et quant le voit Elies, joians en fu et lié,
Andeus ses mains en a tendues vers le ciel :
2055 « Hai! pere de gloire, tu soies grasiés! »

LVIII

Al matin par son l'aube, quant li jor lor esclaire,
Jusc'al tref Lubien en vienent les noveles;
.I. Sarrasins li conte, destruite soit sa geste !
« Par Mahon, amiral, or est trop grant la perte.
2060 En Prinsaut l'Aragon ne meterés mès sele :
On le vous a enblé et vo gardes desfaites;
Ch'a fait li petis leres qui hier vint devant vespre.
Leres ert et espie, bien sot conter la beffe.
Par l'ame Tervagant, boine le nous a faite;
2065 Plus de .c. mars d'argent en vaut hui vostre perte.

2043 tref]tres — 2047-8 : *On lit dans le ms. deux vers presque identiques aux vers 2054-5* :

Andeus ses mains en tendi vers le ciel :
« Hai! pere de gloire, tu soies grasiés! »

Ces vers font évidemment double emploi, et le sens demande deux autres vers développant ce qui précède.

Amirals orgellous, a demain ert li termes
Que tu te dois combatre, s'avoir veus la pucele. »
Quant l'entent l'amiraus, por poi que il ne derve

LIX

« Signor, » dist l'amiraus, « mout m'est mal avenu :
2070 Mon destrier qui m'aidoit ai par pecié perdu ;
Mais aportés mes armes, ains que soit parcheu. »
Et il si firent senpres, ne s'atargierent plus :
Son auberc li vestirent .iiii. roi mescreu,
Puis li çaingent l'espee, Murgale de Sor fu,
2075 Le destrier li amainent Beraut de Valodru ;   *(d)*
Lubien i monta, prist le lance et l'escu,
Devant le maistre porte de Sorbrie est venu,
A haute vois escrie : « Biaus amis, que fais tu ?
Car me ren la bataille que tant ai atendu,
2080 U je te ferai p(r)endre en ton castel la sus. »

LX

Lubien de Baudas descendi a la tiere ;
Il atent la bataille ; Dieus ! il avra si pesme.
Du bacheler Elie or vous dirons noveles.
Rosamonde l'adoube en sa cambre sous tere ;
2085 Puis li vest .i. auberc dont a or est la maille,
Par deseure .i. bliaut qui li pent jusc'a tere.
Qui ferist le hauberc a .i. espiel a tere
Ne l'enpirast il ja le monte d'une nesple.
A tant es Galopin, qui fu preus et honestes :
2090 U que il voit Elie, cortoisement l'apele,
Et tenoit en son poing l'espee toute traite.

2083 Or vous dirons noueles du bacheler elies

« Sire, chaingiés cesti, quens ne rois n'ot plus bele ;
Par itel covenant le çaingiés a senestre,
Que Dieus vous doinst barnage et proeche et poeste
2095 Et foi contre tous homes et estenance en tere,
Et vous meche en talent que prengiés la pucele
Qui si vous a gari en le canbre sous tere.
— Par foi, » dist Rosamonde, « tel proeche avés faite
Dont vous serés mout riches, ains que viegne li vespre. »
2100 Rosamonde li çaint a son flanc le senestre,
Par desor la ventaille li a lachiet .I. elme,
A .xxx. las d'or fin li lache la pucele ;
Et ot hanste de fraine et ot fer de Castele,
A .III. claus de fin or .I. pengon i ventele ;
2105 Voit Prinsaut l'Aragon qui fiert del piet a terre :
De .xv. piés pleniers ne pot consentir beste.
Et quant le voit Elies, tous li ceurs li sautele,
De la joie qu'il ot est sallis en la sele.
Quant li destrier le sent, se li saut plaine perche,
2110 Mais cil le conduist bien, qui le tient par le resne,
Onques nel sorporta vaillant une chenele :   *(fol. 91)*
« Par mon cief, » dist Elies, « chevalier doi je estre.
— Voire, » dist Galopins, « onques n'en poi tant faire :
Encore n'a il gaires qu'il me motra la tere. »

LXI

2115 Lubien de Baudas fu a la porte armés ;
A haute vois escrie : « Car t'en is, Macabrés,
Ou m'envoies ton fil, Caifas u Jossé,
U Malpriant qu'est tiers, el ne voil demander. »
Quant l'amiraus l'entent, le sens quide derver :
2120 Il en a apelé ses canbrelens privés
Qui sont de sa maisnie et de son parenté :
« Alés tost a ma fille, que n'i ait aresté :
.I. chevalier devoit en l'angarde amener,

Ne sai de paienie u de crestienté ;
2125 Et s'ele chou ne fait con vous ai devissé,
Lubien la donrai, le viel kenu barbé. »
Et respondent paien : » Mout avés bien parlé ;
Chou est li mieudres plès que i puissiés trover.
Jusc'a l'uis de la canbre en sont trestout alé
2130 Et s'ont passé avant et s'ont l'anel crollé.
Rosamonde l'oi, s'a tost l'uis desfermé :
« Dame, » che dist Elies, « en la car vous tra(i)és ;
Veés [i]cel cheval qui mout est esgarés :
Si m'ait Dieus del ciel, jel criem mout d'afoler.
2135 — Vasal, » dist la pucele, « alés a vostre Dé ;
Dieus garisse ton cors de mort et d'afoler. »
Il a laskiet le resne, lait le ceval aler,
Le gonfanon de soie lait al vent venteler,
Et li destriers li saut .xxx. piés messurés,
2140 Que le fu et le flanbe fait del marbre voler.
Quant le voient paien, tout en sont esgaré,
Meismes l'amiraus en a .i. ris jeté :
« Mahon, je rai ma terre, bien t'ai servi a gré ;
C'est Elies de Franche li gentieus et li ber :
2145 Chil fera la bataille, ja nen ert trestorné.

LXII

— En la moie foi, sire, » dist la bele al cler vis,
« Sor Mahon me jurastes, vous et vostre arabi, (b)
Que il n'i aroit garde n'a l'aler n'al venir.
— Non avra il, ma fille, por voir le vous plevis. »
2150 Il ovrirent la porte, si le laissent issir ;
Macabré de Sorbrie, et Jossés et Malpris
En montent el palais, regardent le meschin.
Rosamonde la bele va veir son ami ;

2126 la] li

En son dos a vestu .i. pelichon hermin
2155 Et en son puing senestre tenoit .i. esmeril.
Ele le vait paissant d'un[e] ele de pertris,
Et evre son mantel, si qu'Elies le vit :
De la joie qu'il ot fait le cheval saillir.
Li destrier s'en repaire contreval le lairis,
2160 Onques Dieus ne fist beste qui s'i puist tenir,
Cers ne dains ne aloe, faucon ne esmeril.
Caifas le regarde, a son pere l'a dit :
« Cuidiés vous, sire rois, que bataille feist?
Ja s'en fuira li glous quant venra al ferir.
2165 Rosamonde vous a vergondé et honni;
.IIII. jors l'a tenue, s'en a fait ses delis,
Remesse en est enchainte, por voir le vous plevi.
Mahomet vous confonge, qui tout a a tenir,
S'en .i. feu nen est arsse anuit u le matin. »
2170 Quant l'entent la puchele, si ot le ceur mari ;
U qu'ele voit son frere, fierement li a dit :
« Par mon cief, dan traitres, vous i avés menti :
Onques ne fu je pute ne on nel me requist.
Mais je le fuisse certes, si il tresbien vausist,
2175 Qu'il est boins chevaliers, coragous et hardis;
Et vous estes couars et malvais et faillis :
Ceste jouste qu'il fait deussiés maintenir.
Se Sarrasin me croient et mon pere autressi
En une cambre basse vous meterons tout vif. »
2180 Ele lait le parler, par les temples le prist,
Des cheveus a sachiet quanque la bele en ti(e)nt.
Caifas s'en retorne, ens es dens le feri,
Que la levre li tranche, le sanc en fait saillir.   *(c)*
Hé! Dieus, mar le toucha, de pute ore le fist,
2185 Car ançois qu'il soit vespre, l'en convenra morir;
Car Galopins l'esgarde, qui n'a pas mescoisi,
Quel nonchera Elie, le chevalier gentil.

2182 le refiert

LXIII

    Or fu li ber Elye ens el pré contreval
    Apoiés sor sa lance, bien resanble vasal.
2190 Li Sarrasins le voit, vers lui en vait les saus :
    « Cuiver, » dist Lubien, « u preis mon cheval?
    Qui le te mist as mains onques jor ne t'ama;
    Che fist li petis leres qui ersoir le m'enbla.
    Tervagant! que nel soc! il fust pendus a hart.
2195 Or laisse cele jouste, si me rens mon cheval,
    Si en vien avoec moi a la chit de Baudas,
    Si seras de mes vins serjans et boutellas;
    .IIII^m. Sarrasins en ton fief en tenras.
    J'ai une bele fille que tu espouseras,
2200 S'a non Esclabonie, sossiel plus bele n'a,
    Ne mais que Rosamonde, ne sai s'ele le vaut.
    — Sarrasin, » dist Elies, « je n'ai soing de vo gas;
    Tu ne sés qui je sui, aparmain le sevras :
    Sodoiers sui de Franche, dont cis rois m'amena,
2205 Et fui pris desous Arle en l'estor communal.
    .I. miens compains petis me dona ce ceval;
    Rosamonde la bele hui matin m'adouba,
    Si me çaint ceste espee a mon lés de decha.
    Se je te puis ochire, je sui rois de Baudas;
2210 De s'amor sui tous fis, certes n'i faillerai. »
    Quant l'entent li paiens, par poi qu'il n'esraga :
    « Es tu dont crestiens, c'a moi es venu cha?
    Je t'en jur Mahomet, qui cest siecle estora,
    Je ne mengerai mès tant con tu vis seras. »
2215 Et respondi Elies : « Iche ne sera ja.
    Certes bien poroit estre, voire parolle i a. »

LXIV

 Quant ot li Sarrasins que il est crestiens,
Onques puis n'i ot resne ne tenu ne laissiet.
Il laisent par vertu randoner les destriers; *(d)*
2220 Et Prinsaut l'Aragon lai[t] aler les .ii. piés.
Elyes faut a lui de la lanche qu'il tient :
.I. poi li mist trop haut desor l'elme vergié.
Et li paiens le fiert, ne l'a pas esparngiet,
Grant cop li a doné en l'escu de quartier,
2225 Desor la bende a or li a fraint et brisié,
Le blanc auberc del dos desront et desmaillié;
Par mi le flanc senestre li conduist son espiel,
Enpoin le par vertu, si l'abat del destrier.
Signor, n'est mie mors, mès il est mout bleciés.
2230 Et Elies saut sus, qui le cors ot legier,
Si est saillis mout tost sor le corant destrier,
Il a prisse sa lance et l'escu de quartier,
Vait ferir le paien si grand cop esforchié
Que sa lanche peçhoie, si l'abat del destrier.
2235 Quant li paien le voient, mout en sont esmaié;
Premerains a parlé Tornebrans et Turfier
Et Gontable d'Orlie et Garlans l'envoisié
Et autres [trois] avoec, qui firent a proissier.
Cis .vii. furent tout roi, les corones es ciés,
2240 Et dist li un a l'autre : « Mal somes engingié :
Mors somes et vencu, si perdons Lubien :
Par Mahomet, signor, alomes li aidier. »
Et cil ont respondu : « De gré et volontiers. »
Il vestent les aubers, s'ont les elmes lachiés,
2245 Et çaingent les espees a lor flans senestriers
Et monterent es seles des boins corans destriers

2223 *esparengiet* — 2231 *Ce vers est contredit par le v.* 2252.

Et prisent en lor poins les rois tranchans espiés,
Par mi .i. val s'acoillent corant tous eslaissiés
Dieus en garisse Elie, qui en crois fu drechiés :
2250 N'i a cel nel manache de la teste a trenchier.

LXV

Lubien de Baudas se senti a la tere,
Voit Prinsaut l'Aragon qui traine ses resnes :
De .xv. piés pleniers ne pot consentir beste.
Il le pleure et regrete con chevalier honeste :
2255 « Hé ! chevals ravineus, por coi me meus tu guerre ? *(fol. 92)*
Je t'ai soef nori et le crupe coverte,
Et doné a mangier et de[l] fain et de l'erbe :
Or me veus chi [sus] corre por chou que sui a tere !
Ja ne soit mès nus hom qui mès se fit en beste,
2260 Se tant non con il l'a et il le tient acertes.
Chevalier, mout es preus, par le loi de ma tere :
Car me ren mon cheval dont je chai, caele,
Por amor Rosamonde, qui t'esgarde as fenestres.
— Sarrasin, » dist Elies, « maldite soit ta geste.
2265 Va, si pren ton cheval por amor la pucele :
N'i avras hui mès garde si seras en la sele. »
Il meismes li rent par anbedeus les resnes.
Lubien [i] monta, qu'es archons ne s'areste,
Des plaies qu'il ot grans ne li ramenbre gaires :
2270 Or poés vous bien croire diables le governe.
Le main mist a l'espee, fors del feure l'a traite,
Et va ferir Elie par [de] desor son elme,
Qu'il en a abatu et les flors et les perles.
Li brans est trestornés par de devers senestre,
2275 Il li trancha les guices et les quirs jusqu'en tere ;
Sel conseust en char, sa fin en eust faite :

2273 pieres *cf.* v. 400

« Par mon cief, » dist Elies, « vostre espee m'apresse ;
Mon escu m'a tranciet, s'en est moie la perte.
Par le mien ensiant, j'en rai chi une bele ;
2280 Je quic qu'ele fu vostre, sire amirals de Perse.
Galopins le me çaint, mes compains li honeste :
De meisme vo cosse vous doi je honte faire. »
Il l'en drecha amont, si l'en feri sor l'elme
Qu'il en a abatu et les flors et les perles,
2285 Tout le va porfendant enfressi en la sele.
Li ber estort son cop, mort l'abat a le terre.
Rosamonde le voit, qu'estoit a la fenestre ;
U qu'ele voit son frere, fierement l'en apele :
« Or venés cha veoir, malvais couars superbes !
2290 Si verrés les grans cos que li François set faire.
Car pleust or(e) Mahon, qui cest siecle governe, *(b)*
Que vous fussiés la fors avoec lui sor cel[e] herbe,
Et seust le grant honte que pour lui m'avés faite :
A l'espee tranchant perderiés ja la teste. »

LXVI

2295 Quant Elies ot mort Lubien de Baudas,
Prist le cheval as resnes, que mener l'en quida,
Quant li .VII. Sarrasin li essordent d'un val.
Et quant les voit Elies, mervelles l'en pessa ;
Jhesu le nostre pere douchement reclama :
2300 « Se tés sont tout cil .VII. con estoit li viellars,
Par le mien ensiant, n'en quic estordre ja ;
A quel cief que il tort, tout le premier ferai. »
Le premier qu'il encontre onques ne s'en loa,
Si le fiert de l'espee que par mi le copa.
2305 A l'autre jouste (en) après autres .II. en abat.

2284 pieres *cf.* v. 400 — 2290 Francois] paiens — 2294 sespee —
2297 essorbent

Et Jonacles s'en fuit, a esperon s'en va,
Et li rois Malvergiés .iiii. mos s'escria :
« Par Mahomet, signor, cis hon est Satenas !
Il fu fieus Luchibus de la roche Baudas,
2310 Qui conquist en Espaigne Feraon et Judas
Et le viel Salatré et Costantin Macars.
Si fera il nous tous, ja piés n'en estordra ;
Mais guerpissons les loges et entrons es canas. »
Et il si fissent senpre, li glouton desloial ;
2315 Il guerpirent les loges dont .iiii^m. i a,
En la [mer] sont venu, s'en entrent es canas.
Elyes les encauche, qui seoit sor Prinsaut ;
Il se feri en l'aigue jusc' al col del cheval,
Puis a traite l'espee, lor ancre lor trencha :
2320 Li vens se fiert es voiles, qui les Turs esfondra.
Or noent Sarrasin et a deul et a mal,
Que de .iiii^m. [homes] un seus n'en escapa.
Li faucon Lubien fu devant l'estendart,
Il connut le destrier, forment le regarda ;
2325 .VII. fois s'est esvolés, que aler s'en quida,
Quant li giet le retienent dont a or sont les las.
Quant Elies le voit, grant joie en demena, (c)
Deslie le faucon, sor son puing le porta ;
Sel donra Rosamonde qui hui [main] l'adouba.

LXVII

2330 Or s'en va li valès qui bien set mener guerre,
S'en mainne les destriers anbedeus par les resnes.
Venus est a Sorbrie, si dessent en la presse :
Encontre sont venu la pute gent aversse.
Le faucon Lubien tent a le damoisele,
2335 Il le trova enbronche et encline sor terre ;

2313 el arnas *cf.* v. 2316

Il li a demandé : « Qui vous fist che, dansele ?
Qui si vous a baillie mes amis ne veut estre. »
A tant es Galopin qui l'en dist la novele :
« Elyes, biaus dous sire, mout devés dolans estre :
2340 Por vous l'a Caifas a tel honte detraite,
Et batue et ferue et le bouche desfaite.
Se tu ne l'en fais drois, ja ne tienges tu terre.
— Amis, et che ne fache ne place au roi celestre. »

LXVIII

Or s'en torna Elies qu'a Saint Gille fu nés ;
2345 Et tenoit son branc nu qui fu ensangle[n]tés.
L'arrabi a hurté des esperons dorés,
Tout droit en mi sa voie a Caifas trové :
.I. grant cop li dona, mout l'a bien asené,
Que les flors et les pieres fist de l'elme voler ;
2350 La coife de l'auberc ne li pot contrester,
Enfressi el menton li fist le branc couler.
Elye estort son cop et li glous est versés,
Et li cors estendi, l'ame en porte[nt] malfé.
Amont a la fenestre ert li rois acoutés ;
2355 Macabré de Sorbrie a ses gens apelés :
« Signor, » che dist li rois, « la ne porons durer.
Ichou est Begibus qui nous a enchantés.
Car li corons tout sus, Sarrasin et Escler :
Trestous mes maltalens vous ert ja pardonés. »
2360 Lors s'en ceurent as armes Sarrasin et Escler ;
Bien furent .xxx^m. quant il furent armés,
Par mi le mestre porte s'en vont abandoner.
Por l'amor Caifas qui jut en mi le pré (d)
Sont issu de Sorbrie li quiver parjuré,
2365 Et encauchent Elie qu'a Saint Gille fu nés.

2344 torne

Li vasaus tint le branc qui a or fu letrés,
De pitiet a plouré, s'est forment gaimentés :
« Hé ! pere Julien, ja mais ne me verrés !
Ahi ! oncle Guillaume, je vous commanc a Dé ! »
2370 Quant Galopins le vit, li preus et li senés,
Rosamonde la bele a congiet demandé ;
De la tor avala les marberins degrés,
En la bataille entra coureçous et irés,
En sa main le baston u tant a richetés,
2375 Que les fees ovrerent en .i. ille de mer.
Lors peussiés veoir tant ruiste cop doner,
Tant brac, tan puing, [tant pié], tante teste voler
Et tant cheval cheoir, trebuchier et verser.
Bien i feri Elies del branc forbi letré,
2380 Et Galopins aussi del grant baston quarré.
Hé ! Dieus, con grant damage ! ne poront afiner,
Car li nostre sont poi et Sarrasin plenté.
Karles Marteus le dist .i. jor en reprover,
Selonc que dist la letre : « La forche paist le pré. »
2385 Quant Rosamonde les prist a regarder,
A genollons se mist la pucele al vis cler
Et a jointes ses mains, Dieu prist a apeler :
« Glorieus sire pere, qui te laissas pener
Et fesistes la lune et le solail lever,
2390 Et les estoiles, les poissons en la mer,
Gardés ces crestiiens d'ochire et d'afoler.
Baptisier me ferai et en sains fons lever
Et trestoute ma loi ferai crestiener,
Puis penrai le baron, se me vieut espouser. »
2395 Estes vous Galopin, le preu et le sené ;
La u il voit Elie, sel prent a apeler :
« Compains, » dist Galopin, « nes porons endurer.
Veés vous la les os ? pensons del cheminer.
Car faites une cose que m'orés devisser, *(fol. 93)*

2377 *cf.* v. 2627

2400 Que hurtés l'arabi des esperons dorés.
En cel vergier laiens nous irons reposser;
Je desfendrai mout bien le pont et le fossé :
La dedens vous metrai, qui qu'en doie pesser.
— Compains, » che dist Elies, « si con vos commandés. »
2405 Lors hurte le destrier des esperons dorés,
Et la gentil puchele vint le pont avaler,
Et destach(i)e (de) caines dont i ot a plenté.
Et Elyes i entre, qu'a Saint Gille fu nés,
Et Galopin ausi, ne s'i vaut arester,
2410 Si a remis la bare et le pont sus levé.
Quant furent la dedens, s'ont grant joie mené.
Elyes dessendi del destrier sejorné,
Rosamonde la bele le corut acoler,
.IIII. fois li baissa la bouche et le vis cler.
2415 En une croute a vaute ont le destrier mené,
Del feure et de l'avaine li donent a plenté,
Puis vienent el planciet, en le tor sont monté,
Si ont veu les os qui sont acheminé.
Macabré de Sorbrie a se gent apelé :
2420 « Signor, » che dist li rois, « la ne porons durer.
Tout che me fait ma fille que s'i m'a encanté. »
As armes sont coru Sarrasin et Escler,
Bien furent .xxx^m., quant il furent monté,
Asallent de la tor les pans et les pilers;
2425 Elye se desfent, qu'a Saint Gille fu nés.
Grans pieres et grans fus laissent aval aler,
Bien en font .IIII^c. reculer el fossé.
Hé vous poignant Corsaut, .I. felon parjuré;
Rois fu de Tabarie, si ot mout richeté,
2430 Et ot en sa compaigne .xx^m. Turs armé[s].
Il asaillent la tor, s'ont grant noise mené,
Et pikent et machonent comme gent forsené.
Quant Galopins les voit, s'a Elie apelé :

2410 Fierement la b.

« Compains, » dist li vasaus, « ne la porons durer. »
2435 Elye et Galopins sont forment esfreé :   *(b)*
« Signor, » dist Rosamonde, « por coi vous desmentés ?
Ceste tor est trop riche u nous somes entré ;
Li quarrel en sont fort, a chiment compassé,
Chaiens a assés armes et destriers sejorné[s],
2440 Et fors elmes agus et boins brans acherés,
.IIII.^c. chevalier[s] en peut on adouber.
Chi dedens avons char et puiment et claré
Et boin pain de forment et flor(s) avons assés.
Jusc'a .VII. ans tous plains i poons sejorner,
2445 Que ja n'i entera Sarrasin ne Escler. »
Elye de Saint Gille a grant joie mené ;
U qu'il voit Galopin si l'en cort acoler,
En l'orelle li dist coiement a chelé :
« Galopins, biaus compains, bien nous est encontré.
2450 Chaiens est paradis, je nel quier mais celer. »
Estes vous .I. vasal qui est d'outre la mer ;
Godefroi ot a non, ensi l'oi nomer ;
Cil ot nori Elie petit en son ostel.......
Vienent de la montaigne, al port sont arivé.
2455 Quant Galopins le voit, s'a Elie apelé :
« Vois tu la .I. vasal qui revient d'outre mer ?
Car alons a la porte savoir et demander
De quel pais il sont et u doivent aler. »
Et Elies respont : « Si con vous commandés. »
2460 As brestekes des murs est Elie acostés ;
Les barons en apele, si les a salués :
« Signor, » che dist Elies, « de quel terre estes nés ?
Dont venés ? u irés ? quel part devés torner ? »
Et Godefroi respont : « A Valence fui nés,
2465 Senescau Julien, le franc duc honoré,
Et venons del sepulcre u fumes por ourer :
Contreval paienie ai .VII. ans converssé ;

2453 *Lacune*

Or irai en ma terre, se Dieu l'a destiné. »
Quant Elies l'entent, s'a grant joie mené,
2470 A la vois qu'il ot clere commencha a crier :
« Godefroi, » dist Elies, « fai ta gent escouter : *(c)*
Tu iras a Saint Gille a mon pere parler.
De par Dieu et de moi mout bien le salués,
Et me secore chi, si fera mout que ber.
2475 Cha sus en ceste tor m'ont paien enseré ;
Il sont bien .xxx^m. fervestu et armé. »
Quant Godefrois l'entent, s'a de pitiet ploré,
Les maroniers apele belement et soef :
« Signor, » dist Godefrois, « .I. petit m'entendés :
2480 Se vous a seche terre me poés amener,
Tant vous donrai avoir con vous penre en volés,
Et riche[s] coupes d'or et boins bacins dorés :
Ne serés ja mais povres se le savés garder. »
Quant cil l'ont entendu, se li ont creanté :
2485 Lor cinglent et governent au ciel esperitel ;
Tant ont lor rices barges coru et ceminé,
Qu'il vinrent a Brandis, au port sont arivé,
Et montent es chevals qui furent sejorné.
Lors trespassent les teres et les anples renés
2490 Et vienent a Saint Gille tout le chemin feré.
Par mi le mestre porte sont en la vile entré,
Et vienent el palais qui fu a or listé.
La trevent Julien qui dessent des degrés,
Aimeri de Nerbone et sen riche barné,
2495 Et Hernaut le vaillant et Bernart l'aduré,
Et Garin d'Anseune et le franc Aimer,
Bevon de Commarchis et Bertran le sené,
L'archevesque de Rains, et le grant richeté,
Qui tienent parlement de la crestienté :
2500 Elye voillent querre, nel sevent u trover.
Estes vous Godefroi qui les a salués.

2487 braidis

Godefrois les salue comme [uns] hons apensés :
« Cil Dameldé de gloire qui en crois fu penés
Saut Julien le conte et son rice barné,
2505 Aymeri de Nerbone et tout son parenté,
De par son fil Elie, le gentil et le ber !
Par moi vous mande tous, foi que vous lui devés,*(d)*
Dedens Sorbrie esrant que vous le secorés.
Par dedens une tor l'a assis Macabrés :
2510 N'i a que Rosamonde, sa fille o le vis cler,
Et Galopin aussi, qu'en Ardane fu nés. »
Quant Juliens l'entent, s'a de pitiet ploré,
A tere chiet pasmés, ne pot sor piés ester.
Beves de Comarchis, li gentieus et li ber,
2515 Aymeris de Nerbone est cele part alés :
« Biaus sire, » dist li quens, « .I. petit m'entendés :
Or fera ge mes homes maintenant asambler ;
Si mandrai Loeys a Paris la chité
Et Rainewart ausi qui porte le tinel ;
2520 L'archevesques i ert, cil de Rains la chité,
Et seront .xxx^m. de la crestienté.
Dessi jusc'al sepulcre ne quier mès arester,
De la ferai mes grailles et mes tabors soner,
Et si diront encore Sarrasin et Escler
2525 C'Aymeris est venus por paiens esfraer.
— Pere, » che dist Guillaumes, « grant amoisne ferés. »
Trestous ses messagiers a li quens apelés ;
Il fait ses letres faire, s'a ses homes mandés,
De toute Franche a fait son barnage asanbler.
2530 Illeuques fu Bernars et Hernaut l'aduré,
Bueves de Commarchis et Bertram li senés
Et Garin d'Anseune, (et) li caitis Aimers,
L'archevesque de Rains, quanque pot asambler.
Rois Loeys repaire de Paris la chité,
2535 Et ot en sa compaigne Rainewart au tinel,

2507 moi] foi, lui] mi

Ains si [tres]grans barnage ne fu mès asamblés,
Qui por le boin Elie vauront le mer passer.
Godefroi les conduist, u pais ot esté,
Il sot mout bien les marces, et le latin parler.
2540 Lors vienent a Brandis, les os font sejorner,
Des dromons et des barges i vienent a plenté :
La dedens se sont mis nostre franc bacheler,
Et singlent et governent et pensent de l'esrer ; *(fol. 94)*
Et voient de Sorbrie les murs et les pilers,
2545 Les brestekes, les tors et les palais listés.
Godefrois li sachans a grant joie mené ;
Julien en apele, qu'a Saint Gille fu nés :
« Sire, » dist Godefrois, « mout t'est bien encontré :
Vois tu or cele tor a cel plonc crestelé ?
2550 Laiens laissai ton fil a mout grant poverté,
Galopin l'Ardenois, et la dame al vis cler. »
Quant Juliens l'entent, s'a de pitié ploré ;
Il sont venu al port, des vaseus sont torné,
Puis montent es destriers dont i ot a plenté.
2555 Si drechent les ense[n]ges, si pensent de l'esrer.
Quant Galopins les voit, c'as murs fu acostés,
La u il voit Elie, si l'en a apelé :
« Hai ! sire compains, bien nous est encontré(s) :
Veés ichi les ensenges de la crestienté,
2560 L'oriflambe le roi de Paris la chité,
Aymeri de Nerbone, le viel quenu barbé,
Julien de Saint Gille au dragon enpené.
Amis, fai une cosse que te voil deviser,
Que vous vestés l'auberc et l'iaume fremés,
2565 Et si çaingiés l'espee au senestre costé ;
Montés en Marchegai, le destrier abrivé,
Et g'irai la defors a Loeys parler. »
Rosamonde la bele va congiet demander,
Et ele li dona volentiers et de gré.
2570 Par le fausse posterne issi de la chité,
Il lait ester le pas, si se prent au troter,

Tant que il vient en l'ost ne vaut onques finer.
Il salue le roi si con oïr porés :
« Cil Dameldé de gloire, qui fist crestienté(s),
2575 Saut le roi Loeys et son riche barné,
Aymeri de Nerbone, qui li siet au costé,
Julien de Saint Gille et Bernart l'aduré !
— Amis, » che dist li rois, « Dieus te puisse saver !
Comment as tu a non, et de quel tere es nés ? *(b)*
2580 — Sire, » dist Galopins, « en Ardane fui nés,
Et si fui fil Tieri, le franc duc honoré.
Par moi vous mande Elies salus et amistés. »
Quant li baron l'entendent, s'ont grant joie mené :
Enqui illeuc s'adoubent con ja oïr porés.
2585 Il vestent les aubers, s'ont les elme[s] fremés,
Et pendent a lor caus les fors escus bouclés ;
Ens en lor poins ont pris les fors espiels quarrés
Et montent es destriers corans et abrivés ;
De .IIII. pars ont leus assise la chité,
2590 Mout par i ot drechiés de tentes et de trés.
La fu grans li asaus de la crestienté(s) ;
Li paien se desfende[nt] qui as murs sont montés.
[Et] (quant) Galopins d'Ardane a Guillaume apelé(s),
Julien de Saint Gille, (et) le caitif Aimer :
2595 El vergier Rosamonde s'en sont cil .IIII. entré.
Rosamonde les voit, si lait le pont aler,
Et cil entrent dedens, qui grant joie ont mené.
Elye vit son pere, si le cort acoler,
Plus de .xx. fois li baisse et le bouche et le nés :
2600 « Signor, » dist Galopins, « bien vous est encontré.
Or seromes nous .v. fervestu et armé.
Quant vous verois l'asaut de la crestienté,
Et g'irai a la porte por paiens destorber :
L'enpereor de Franche voil les huis defermer. »
2605 Quant Julien l'entent, s'a grant joie mené.
Rosamonde la bele avale les degrés
Et vint a s'aumoniere, s'en a trait une clef,

Au tressor est venue, s'a lès huis desfermés :
La prendent les escus et les aubers safrés
2610 Et montent es destriers corans et abrivés.
Aymeris de Nerbone asailli la chité,
L'archevesque de Rains et tous ses parentés ;
D'autre part fu li rois a (tout) .M. home[s] armés.
Grant noise demenerent Sarrasin et Escler
2615 Et desfendent forment les murs et les fossés.   (c)
Estes vous Galopin qui s'est abandonés ;
Guillaumes li marchis, cil li fu al costé :
Jusc'a .XXX. paiens i ont mort et tués,
Puis desferment le bare, s'ont le pont avalé.
2620 Galopins commencha hautement a crier :
« Saint Denise de Franche ! tuit serés ostelé. »
François et Borgengon sont la dedens entré,
Flamenc et Beruier, dont i ot a plenté :
Espees toutes nues sont ens acheminé ;
2625 Mout par fu grant la noisse de la crestienté.
La peussiés veoir tant riche cop doné,
Tant brac, tant puing, tant pié, tante teste coper,
Tant Sarrasin morir, trebuchier et verser.
Es vous poignant Bernart de Brubant la chité,
2630 Et a brandie l'anste del roit espiel quarré,
Desor l'escu a or vait ferir Macabré,
L'escu li a perchié et le hauberc faussé ;
Tant con anste li dure l'a del destrier hurté,
Il n'est pas encor mors, mès il est craventé.
2635 Par le brac l'a saissi, si l'a amont levé ;
U qu'il voit Galopin, si l'en a apelé :
« Petis hon, » dist Bernars, « cest prison me gardés. »
Et cil li respondi : « Si con vous commandés.
En la chartre parfonde le m'esteut avaler :
2640 Bos, culevres i a, sachiés, a grant plenté,
Qui li mangeront senpre les flans et les costés. »

2614 noise] joie cf. v. 2625 — 2627 caper

Lors a drechiet amont le grant baston quarré,
Par mi outre le teste a feru Macabré :
Le teste li pechoie, li oilg en sont volé,
2645 Et li cors estendi, l'ame en portent malfé.
Estes vous Loeys qu'est arier retorné,
Si fist pupler le vile de la crestienté.
Es vous venu(s) Bernart de Brubant la chité ;
U qu'il voit Galopin, si l'en a apelé :
2650 « Petis hon, » dist Bernars, « mon prison me rendés. »
Galopin respondi : « Si con vous commandés. » *(d)*
Par les jambes le prent, si l'a amont levé.
« Amis, » che dist Bernart, « tu le m'as conraé :
Il n'ert pas ore iteus, quant le t'oi commandé.
2655 — Sire, » dist Galopins, « il ne voloit aler :
Por chou qu'erre petis si me ti(e)nt en vieuté. »
Et quant Bernars l'entent, s'a grant joie mené.
Lors montent el palais li demainne et li per,
Et font tantost les fons beneir et sacrer.
2660 Rosamonde i menerent, la bele o le vis cler,
Tout maintenant le fissent beneir et sacrer.
Dieus, con riche pressent i ot le jor doné !
Aymeris de Nerbone i courut au lever,
Julien de Saint Gille et Loeys li ber,
2665 Guillaumes li marcis et li franc .xii. per.
Quant Elies les voit, s'est cele part alés ;
Isnelement et tost est courus au lever.
Hé ! Dieus, con grant damages, pere de majesté !
Por chou le perdra il, ne le pot espouser.
2670 El palais en monterent les marberins degrés ;
Elies vit le roi, sel prist a apeler :
« Signor, » che dist Elies, « m'amie m'espousés,
Rosamonde la bele qui tant jor m'a gardé
En cest palais de marbre des membres a coper.
2675 — Vasal, » dist l'archevesque, « de folie parlés ;

2654 ll nest

Che ne poroit soffrir sainte crestientés.
Voiant nos ieus trestous l'as aidiet a lever
Et es saintismes fons benerir et sacrer. »
Quant Elies l'entent, s'a de pitiet ploré,
2680 Rosamonde autressi, ne pot sor piés ester,
Ains chei en la tere et se prist a pasmer ;
Et Guillaumes d'Orenge l'en corut relever :
« Bele, » che dist li rois, « envers moi entendés.
Veés vous el palais trestous les .xii. pers ?
2685 Certes mout richement vous vaurai marier :
Tel home vous donrai con volés deviser.
— Signor, » dist la puchele, « tout che laissiés ester ; *(f°95)*
Puis c'ai perdu Elie que tant jor ai amé,
Por l'amor del baron Galopin me donés. »
2690 Quant li baron entendent, cele part sont alé.
Aymeri de Nerbone i fu as fois doner :
Sor les saintes reliques font Galopin jurer
Qu'il penra la puchele a mollier et a per.
Et Galopins respont : « Si con vous commandés.
2695 Ja mais en douche Franche ne me verés entrer,
Ains conquerrai de cha sainte crestienté
Et ferrai les asmoines et les messes canter. »
Elye de Saint Gille a de pitié ploré.
L'enperere meismes est cele part alés :
2700 « Vasal, » dist l'enperere, « envers moi entendés :
En Franche no pais ensamble o nous venrés ;
Mout richement, amis, vous vaurai marier :
Ma seur vous donra je, Avisse o le vis cler,
Et vous donrai assés castieus et fermetés,
2705 Orliens et tout Behorges qu'est dame des chités,
Et me riche oriflanble devant moi porterés. »
Quant Elies l'entent, s'a de ceur sospiré :
« Sire, » che dist Elies, « .v^c. merchis de Dé. »

2690 *Miniature avec cette rubrique :* Ch'est chi ensi con Galopin espousse Rosamonde l'amie Elye.

Enqui donent les fois, et li a creanté
2710 Que il avra sa seur al gent cors honoré;
Et trestout li baron ont grant joie mené,
Et Julien ses peres, li vieus kenus barbés.
Lors tienent parlement de le crestienté; *(b)*
Galopin prist la dame a mollier et a per,
2715 .III. jors durent les noches dedens cele chité.
L'enperere de Franche ne vaut plus demorer
Ne li autre baron dont i ot a plenté;
Ains iront au sepulcre por lor ames saver.
Rosamonde la dame les prist a esgarder :
2720 Pour chou que il devoient en sus de lui aler,
Tenrement a ploré et del ceur souspiré;
A chelui les commande qui en crois fu penés.
Galopins les conduist, qu'en Ardane fu nés.
Quant che vint au partir, grant deul ont demené,
2725 Meismes Galopins au gent cors honoré
Por son signor Elye que il ot tant amé.
A tant s'en sont parti et pensent de l'esrer,
Et Galopin revint a sa feme al vis cler.
Et no baron chevauchent que Jhesu puist saver;
2730 Il trespassent les teres et les anples resnés,
Les pais avironent, qui sont et grant [et] lés,
Mout trevent le pais plain de grant poverté.
Godefroi les conduist, c'ot el pais esté.
Tant ont par lor jornees esploitiet et esré,
2735 Passent prés et boscages et grans desrubans lés,
Qu'il sont tout al sepucre venu et arivé;
Et quant il furent la, si l'ont tout aor(n)é.
Quant ont fait lor offrande, si sont tout retorné,
Tout droit vers douche Franche se sont acheminé;
2740 Tant ont et nuit et jor chevalciet et esré,
C'a Paris sont venu, la mirable chité.
Encontre sont venu li viel et li barbé
Et dames et pucheles, serjant et bacheler.
Cel jor font mout grant joie del riche coroné.

2745 .VIII. jors tient li rois cort et son rice barné,
Mout fu grande la feste el palais princhipel.
Li boins rois Loeys, qui tant fait a loer,
A fait venir sa seur, Avise o le vis cler;   *(c)*
Elye le dona a mollier et a per,
2750 Et il l'a recheue volentiers et de gré.
Se les noches sont grans, ne l'esteut demander :
Maint riche vasel d'or i fu le jor doné,
Menestrel s'en loerent, quant vint al dessevrer.
Ensi dona li roi sa seror al vis cler
2755 A Elye le preu, fil Julien le ber,
Qui fu dus de Saint Gille, si con oi avés :
D'Elye vint Ayous, si con avant orés.
Ichi faut li romans de Julien le ber
Et d'Elye son fil qui tant pot endurer ;
2760 Cil engenra Ayoul qui tant fist a loer,
Si con vous m'orés dire, sel volés escouter.

Explichit li romans d'Elye.

LA SAGA D'ÉLIE

LA SAGA D'ÉLIE

TRADUCTION FRANÇAISE

(I) ENTENDEZ, sages gens, une belle histoire de haute valeur sur la vaillante chevalerie et les exploits célèbres d'un duc renommé, qui était gouverneur et maître, dominateur, gardien et protecteur du pays de Saint-Gilles, au sud-ouest du royaume du roi de France. Ce duc vécut si longtemps que sa barbe fleurit en boucles blanches; il était si heureux que la crainte de Dieu et la faveur du sort gouvernaient toute sa vie par la grâce de Dieu. Dès sa jeunesse et dans un âge tendre, il possédait de bonnes mœurs et des façons courtoises : son cœur était si bon que jamais fille ou veuve, que jamais orphelin sans protection n'avait eu à souffrir de sa violence ou de son injustice dans son honneur, dans ses possessions, dans son héritage ou dans ses biens. Bien au contraire, son âme était toujours portée à honorer Dieu et à faire de bonnes œuvres. Il construisit à grands frais de nombreux ponts de pierre sur les fleuves et sur les routes difficiles, pour la commodité durable des riches et des pauvres ; il [1] dota des hôpitaux importants [2] ; sa table était toujours ouverte à ceux qui voulaient y prendre place ; ses aumônes étaient abondantes ; ses dépenses de charité et de bienfaisance étaient considérables.

(II) Or il arriva à une fête de saint Denis que ce puissant duc se tenait dans sa salle, qui était entièrement construite en marbre de diverses couleurs, bleu et brun, vert et jaune, rouge, noir, blanc et bigarré, et couverte de tous les ornements que l'art des hommes peut faire ; autour de lui étaient ses puissants vassaux et autres princes [3] qu'il avait réunis dans un magnifique banquet, à l'occasion de cette fête. Le duc leur adressa ces paroles amicales : « Écoutez, seigneurs », dit-il, « écoutez mes paroles et donnez-moi un conseil amical et bienveillant : considérez ce qui est le meilleur et le plus utile et le mieux approprié pour l'avenir de mes descendants et héritiers. Voici déjà soixante hivers passés que j'ai revêtu l'armure guerrière du chevalier ; je suis aujourd'hui tellement appesanti par l'âge qu'il ne m'est plus possible de porter les armes. Il me sied désormais de rester en repos et, pour mon bonheur dans l'autre monde, de mener une vie agréable à Dieu en la consacrant aux saintes prières, à l'église et aux aumônes, afin que ma vieillesse vaille mieux que ma jeunesse. Mais ma femme m'a rendu père de deux enfants : un bon fils que Dieu m'a conservé [4], et une belle fille, Orable [5] la courtoise, demandée par le seigneur Guérin de Piereplate [6]. Elle est trop jeune encore pour se marier, mais Guérin a juré [7] par le corps de saint Hilaire de l'é-

---

1. *C ajoute* : il bâtit de nombreux monastères. — 2. *B ajoute* : avec des monastères et des églises. — 3. *La phrase* autour... princes *est remplacée dans D par* : au milieu de clercs et de nobles, d'aussi haut rang qu'on peut trouver au monde. — 4. *B D* donné. — 5. *A D* Ozible ; *B C* Osseble. — 6. *A* Gerin de Forfrettiborg. — 7. *B C D* jure.

pouser avant qu'elle ait trente ans [1] et de l'emmener chez lui à Blaye [2] avec honneur. Or je veux que mon fils vienne devant vous dans cette salle ; il est bien fait ; il est sage et de bonnes manières, grand de taille, large d'épaules et fort de tous ses membres ; mais je ne sais pas, et je m'en émerveille, s'il est très vaillant, lui dont le corps est bien bâti pour la prouesse et les actions vaillantes. Il y a plus de douze mois qu'il pourrait porter les armes et être chevalier : je m'étonne de le voir vivre si tranquillement, comme destrier à l'écurie ou moine au cloître. Il lui vaudrait pourtant beaucoup mieux être à Paris au temps de Pâques et servir le roi Louis, fils de [3] Charlemagne, dont les conseils l'aideraient à conquérir un royaume comme patrimoine et propriété ; car quand j'étais jeune et à l'âge de mon fils, je fis, par ma bravoure et la force de mes armes, tant de conquêtes, que je possède encore trente châteaux, six grandes villes et vingt-cinq autres. Mais, » dit-il, « je veux devant vous tous déclarer une chose, afin que mon fils sache qu'il devra gagner [4] par les armes un domaine assuré, un héritage et des possessions, comme je l'ai fait : il n'aura pas un denier de tout mon bien ; car [5] c'est ma fille qui restera dans ce domaine que j'ai gagné, et qui, au jour de ma mort, doit être héritière et maîtresse de tout ce que j'ai conquis. »

Quand Élie [6], son fils, entendit ces mots [7], il sentit la rage et le plus vif chagrin : il se leva aussitôt de son siège et sauta par dessus la table sur le sol, et il voulait

---

1. C quinze hivers ; B dix hivers. — 2. A Blevisborg. — 3. C B D du roi. — 4. B gagner un royaume et avoir de toutes sortes ; D gagner un royaume, de l'or, un patrimoine, un héritage et une terre. — 5. C D car tous deux, ma fille et moi, nous resterons. — 6. Mss. ici et partout Elis. — 7. C D les paroles de son père.

s'en aller. Mais son père l'appela : « Arrête, » dit-il,
« vaurien, et ne t'éloigne pas ! je ne veux encourir ni
blâme ni reproche à cause de toi ; et, si tu t'en allais
maintenant ainsi sans argent et sans suite, l'on dirait
bien vite à Paris et à Chartres [1] : Regardez le fils du
vieux Julien que son père a chassé par colère de son
domaine, après l'avoir injustement accusé. C'est ce que
je ne voudrais à aucune condition : pour tout l'or qui [2]
est au pays de Jacob, non, cela ne peut être ! J'aime
mieux te donner mon meilleur destrier et toutes mes
armes : ma brogne, plus blanche que l'argent, et mon
heaume doré, un écu bien éprouvé, peint à fleurs vertes,
une forte lance au pennon broché d'or, et tu chevaucheras
en notre présence sur nos plaines vastes et unies. Je
ferai planter en terre un pieu de chêne qui te servira de
but : on y fixera deux bons écus et une brogne éprouvée.
Là tu feras assaut en chevalier : tu courras de toute la
vitesse de ton cheval et tu frapperas de toute la force de
ta lance. Si tu transperces les deux écus, si tu déromps
et démailles la brogne, je te récompenserai selon la
prouesse, la chevalerie, le courage et l'adresse que je te
verrai déployer : je te donnerai comme suite vingt chevaliers avec tout leur équipement, de l'or et de l'argent
assez pour ton entretien, afin que les fous alors ne te traitent pas d'inutile, toi le fils d'une noble race. Mais si,
au contraire, je vois dans cet assaut que tu couvres ta
race de honte et te montres incapable du métier des
armes, alors, par l'apôtre du Seigneur, vers lequel les
peuples de tous les pays chrétiens vont en pèlerinage
pour implorer sa grâce, je te reprendrai le cheval et
tout l'équipement, la blanche brogne et le heaume orné
de feuilles, le bon écu et l'étendard doré, et je tondrai
tes cheveux en rond par dessus les oreilles ; je ferai de
toi un moine ou un abbé, et te ferai apprendre à chanter

1. *A* Chiatresborg. — 2. *C D* qui se trouve en Arabie.

et à lire, pour que tu deviennes prêtre ; et tu chanteras et liras ici dans notre monastère avec les autres moines. »

« Sire, » dit Élie, « vous me blâmez beaucoup ! Permettez-moi plutôt de partir ! Par Dieu, qui m'a créé par sa grâce, je ne veux prendre avec moi ni votre cheval ni aucun chevalier [1] : je préfère partir seul et aller à pied. Je croyais être un riche homme et avoir à attendre dans l'avenir beaucoup d'honneur, de puissance et de revenu ; mais maintenant, vous m'avez déshérité complètement, de sorte que je n'ai plus le droit de disposer même d'un denier de tout ce que je croyais posséder. Puisque vous vous êtes ainsi détourné de moi, que Jésus-Christ, en échange, m'accorde sa grâce ! » Sur ces mots, il sortit ; et quand il fut arrivé au bas des degrés de la salle, son père courut après lui, le saisit par son manteau, et le retint et lui parla : « Vaurien, » dit-il, « je te jure par mon chef que, quoi qu'il arrive [2], tu ne partiras pas ainsi ! Je veux auparavant te donner un [3] équipement et de bons destriers, les meilleures armes de défense qui se puissent trouver et mes plus fidèles chevaliers pour te suivre ; je veux aussi te donner de l'argent en abondance, de façon que partout tu puisses vivre largement ; car il est dit et reconnu pour vrai que l'on estime chacun d'après ce qu'on voit de son extérieur. »

(III) « Sire, » dit Élie, « puisque vous le voulez, donnez-moi au plus vite un cheval et des armes, et faites dresser dans la plaine le pieu chargé des deux écus et de la brogne. Je veux y courir, et je verrai quel coup je puis porter, que cela doive tourner à mon honneur ou à ma honte, et je te le jure par le saint apôtre de notre Seigneur, que les pèlerins vont à pied visiter, je ne dormirai pas plus longtemps sous ton toit, car vous m'avez refusé

---

1. *C D* gens de suite. — 2. quoi qu'il arrive *manque C B D*. — 3. *C D* un bon.

tout l'héritage qui devait me revenir, et de riche vous m'avez fait pauvre. Il est misérable, celui qui n'a rien, et misérable aussi, celui qui ne sait rien faire ! » Ainsi parla Élie devant tous les puissants princes réunis ; tous furent affligés de ces paroles et soupirèrent de grande douleur. Mais la noble dame [1], la mère du bachelier pleura lamentablement, et appelant le duc : « Sire, » dit-elle, « grâce [2], pour l'amour de Dieu ! Nous n'avons pas d'autre fils ni d'autre héritier que celui-ci, qui possède les qualités d'un homme vaillant. Vous ne savez pas quel malheur ou quel danger peut arriver à vous-même, et vous mettre en discorde avec d'autres puissants barons qui se disent vos pairs : s'il arrive quelque chose de tel, notre fils pourra faire la guerre à nos ennemis ; ce sera notre protection, notre défense, notre bouclier dans nos malheurs à venir. Il faut considérer ce qui est utile, aussi bien ce qui paraît le moins important que ce qui semble l'être davantage. » Le duc répondit : « Que dis-tu, folle ? Un jeune homme ne doit pas trop longtemps vivre tranquille ; car tout homme vaillant [3] doit accroître son activité et sa gloire, aller dans les pays étrangers, faire connaissance avec les gens inconnus, montrer sa bravoure, apprendre les lois et les droits, les vrais dits et les justes sentences ; il faut qu'il s'inspire de bons exemples, et montre à la fois menace et amour : à ses ennemis menace et à ses amis humilité, bon cœur, courtoisie et respect [4] ; c'est ainsi que les hommes vaillants acquièrent leur renom, de façon qu'un homme vaillant et de bravoure excellente, pour son honneur, son bonheur et sa gloire devient le chef et le protecteur de tous ceux de sa race. Par saint Pierre,

---

1. C la noble femme du duc. — 2. C B D faites grâce à notre fils. — 3. C B D bon héros. — 4. B D obligeance courtoise et [D manque] honneur.

l'apôtre de Rome, je veux sur le champ le faire chevalier. » Aussitôt le duc appela Salatré, son écuyer, et lui dit : « Apporte-moi mes¹ meilleures armes et mon meilleur équipement : je veux, sur l'heure, armer mon fils chevalier ; et, à l'instant, dans la plaine, près de Darbes, notre château-fort, fais dresser le poteau d'attaque, et fais y attacher les écus et la brogne. Je veux, devant ces princes, ces chevaliers et tous les habitants de la ville, hommes et femmes, éprouver la vaillance de mon fils et voir s'il sait exécuter une action héroïque et s'il est vraiment brave. » Quand le duc eut dit cela, plus de cent chevaliers partirent, tous revêtus de bonnes robes de velours ; et ils dressèrent le poteau avec les deux écus et une brogne blanche. Élie, dans la salle où il était, se couvrit d'une quadruple brogne et d'un heaume doré. Le vieux duc vint le trouver et le ceignit d'une bonne épée, et lui donna la colée avec une si grande force qu'il l'en fit chanceler et qu'il tomba presque à terre. Tout l'entourage du duc se mit à rire de ce que le coup était si fort ; Élie le trouva mauvais, il n'en voulut rien dire, mais il parla bas entre ses dents : « Tu es méchant et félon, vieux ! Par la foi que je dois offrir à Dieu ², si tu n'étais pas mon père, tu paierais cher ce coup-là. »

(IV) Il est connu de tous ³, et chacun a entendu dire que lorsqu'un chevalier prend les armes pour la première fois, les jeunes gens se montrent hardis et se réjouissent de voir comment il se comportera. Ainsi firent tous ceux qui étaient venus là en ce jour. Quand Élie monta à cheval, tout le peuple accourut autour de lui pour le voir, comme si aucun d'eux ne l'avait jamais vu jusque-là. Tous ceux qui le virent prièrent Dieu de défendre son

---

1. *C B D* mon meilleur équipement. — 2. *D ajoute* : Je rendrais ce coup traître sur la nuque à tout autre qui me l'eût donné, et. — 3. *B D* toutes gens.

corps de danger et de peine. Mais toutes leurs prières lui aident si peu que le même jour, avant que vêpres soient finies, il lui arrivera si grand déconfort et si grande pesance que, si Dieu n'a pitié de lui, il n'en sortira pas vivant. Quand le poteau fut dressé et bien assujetti et que tout le peuple de la ville fut rangé alentour, il y eut plus de cent chevaliers, notables et hommes principaux de la ville de Saint-Gilles, qui, par amour pour Élie, voulurent s'armer et faire caracoler leurs chevaux dans la prairie avec des jeux et des plaisanteries. Mais le duc Julien qui était le plus en avant de la troupe s'écria à haute voix : « Dieu vous garde, bons seigneurs ! sortez du chemin et tenez-vous tranquilles, tandis que ce jeune homme joute et éprouve sa valeur. Ainsi nous pourrons voir ce qu'il se montrera dans une grande entreprise, car les petites choses préjugent les grandes. » Les seigneurs de la suite de Julien allèrent tout de suite en un lieu et là prirent position comme le duc l'avait dit. Le jeune homme commença à entrer en colère, il mit sa lance en arrêt et poussa de l'éperon son cheval, aussi vite qu'il pouvait courir sous lui ; et, quand il eut cessé d'éperonner le cheval, il releva sa lance et fit flotter son étendard au vent. Il prit alors un peu de repos ; puis, poussant le cheval [1], il s'élança contre le poteau et transperça de la lance les deux écus et la double brogne avec une telle force que le poteau se brisa en deux et tomba tout entier par terre. Quand le duc Julien vit le grand coup qu'avait frappé son fils Élie, il rit et appela Élie à haute voix [2] : « Mon fils, » dit-il, « tu es un brave ! Tu resteras auprès de moi, et tu serviras mes entreprises à l'avenir. »

(V) Sire [3] Julien était très joyeux, et sa joie était grande de son fils. Quand il vit le poteau brisé et gisant à terre, il

---

1. *B D ajoutent* : avec les éperons.— 2. *B D ajoutent* : et dit. — 3. *C D* Le duc.

appela à lui le jeune homme en souriant et lui dit tendrement : « Chevalier, » dit-il, « tu es un héros vaillant, fort et courageux ! Je sais maintenant, car je l'ai vu réellement, que tu es solide et fort contre tes ennemis. Maintenant tu resteras avec moi, tu posséderas ma terre et mon domaine, car il ne te convient pas de m'abandonner dans mes vieux jours, et de servir des gens étrangers. » « Sire, » dit le jeune homme, « votre langage m'étonne : vous avez juré et fait serment que je ne dormirais pas dans votre demeure, d'ici à nombre d'hivers. Par le saint apôtre que vont trouver les pèlerins, si on me donnait tout l'or de Saint-Martin, je ne resterais pas à ton service, tant je l'ai fortement juré ! » Quand sire Julien entendit ces mots, il s'élança sur lui, et dit : « Mauvais fils de putain, tu es mon vassal ; de rien j'ai fait de toi un homme. Je vais te faire saisir et jeter en prison ; là tu y resteras quatorze hivers, puisque tu préfères à mon service celui de gens inconnus. Tu cherches toi-même tes malheurs ; jamais tu ne reviendras dans le pays ou dans le domaine, pour y gagner même un denier avec honneur. Il en sera ainsi, car mon cœur me le dit. Va maintenant où tu voudras ! »

Élie partit irrité et affligé. Quand le vieillard le vit s'en aller, il soupira de tout son cœur et pria le Dieu tout puissant de l'aider et de le protéger. Il appela alors Aïmer [1], et Tierri [2] et le comte Agamer, et leur parla ainsi d'un air pensif : « Hommes, » dit-il, « suivez-le, et, je vous en prie par amour, soyez ses défenseurs, car il est encore jeune et enfant. Mais s'il devient raisonnable, il accomplira de grands exploits, s'il a le courage qu'il faut qu'il ait et qu'il semble devoir posséder. Emmenez avec vous Gillimer [3] de Corin, Agamer de Lesam et le brave Auberi [4]. Si vous marchez tous ensemble, celui-là s'attirera de la honte, qui voudra faire mal à l'un

---

1. *A* Aemer. — 2. *A* Terri. — 3. *A* Gifmer. — 4. *A* Aeltri.

de vous ; vous êtes des frères de sang, des compagnons d'armes et des camarades. »

Cependant Élie chevaucha seul son chemin, jusqu'à midi, triste et courroucé, et il parla ainsi : « Dieu tout puissant, » dit-il, « regarde-moi, comme seul, pauvre et sans argent, j'abandonne mon pays et ma famille ! Toi, Seigneur, qui ne mentis jamais, père et seigneur de toutes créatures, aie pitié de mon infortune, car je n'ai même pas un écuyer pour me servir. Et maintenant il me faut supporter peines et travaux, jusqu'à ce que ta grâce me console, comme tu en as décidé pour moi avant ma naissance ! » Quand il eut parlé ainsi, il regarda devant lui sur le chemin, et aperçut, couché à l'ombre d'un arbre qui était au bord de la route, un homme dont le corps était percé de trois lances, et il avait au visage une blessure si terrible, qu'on pouvait voir sa cervelle à travers ses sourcils [1]. Il était étendu sur le visage, et demandait grâce à Dieu, et se frappait la poitrine, car il craignait la mort. Lorsqu'Élie l'eut aperçu, il s'approcha de lui et lui dit amicalement : « Qui es-tu, chevalier ? Dieu te prenne en grâce ! dis-moi, qui est celui qui t'a ainsi blessé et honni ? Je te vengerai certainement, de sorte qu'il n'en peut être doute. » Quand le chevalier l'entendit, il répondit en quelques mots [2] : « Ami, sire chevalier, es-tu prêtre ou clerc, que je puisse me confesser et dire mes péchés ? Les gens qui m'ont ainsi traité sont tels, que s'ils venaient maintenant, ils t'auraient bientôt renversé et honni [3]. Mais tu m'as adjuré par le Dieu qui m'a créé, et je veux donc que tu le saches : je suis le fils d'Amauri [4], le valeureux et courageux comte ; je suis né à Poitiers [5] ; sire Julien, le duc du pays de Saint-Gilles, est mon proche parent ; et maintenant mon

---

1. *C B* sa brogne ; *D* sa ventaille.— 2. *D ajoute :* Comment ferais-je pour te le raconter ? — 3. *C* bientôt tué et mis à honte. — 4. *A* Almaren. — 5. *A* Petersborg.

père est de sa suite et préside à ses plaids. Moi, j'étais en France, au service du roi Louis [1], quand il fut couronné à l'abbaye de Saint-Denis : il y eut alors grand tournoi de chevaliers montés sur de bons chevaux arabes. Comme nous étions là en joie et en réjouissance, arriva un messager, et il annonça la nouvelle que les païens, avec une armée puissante, étaient arrivés dans le pays. Aussitôt nous fîmes grande hâte, et n'attendîmes aucun secours, mais nous traversâmes sur-le-champ, avec l'armée que nous avions, l'Anjou et le Berri [2], et rencontrâmes les païens auprès de la Bretagne ; et cette première affaire fut une grande victoire pour nous. La seconde fois, nous leur tuâmes bien mille hommes [3] ; la troisième fois, comme ils étaient déjà vaincus, presque tous tués, blessés et prisonniers, survint un renfort de quinze mille païens, et ils nous poursuivirent jusqu'à Angers, firent prisonniers Guillaume et Bertran, son parent, Bernard et Ernaud [4] le beau. Ils ont conquis toutes les villes du rivage, et ni jour ni nuit ne cessent d'avancer. Ils comptent prendre et gagner Montpellier [5] et la ville de Saint-Gilles. Le roi m'a parlé et m'a prié de porter ces nouvelles à sire Julien [6], son parent. Mais quand j'eus pris congé du roi, les païens aussitôt m'aperçurent, me barrèrent le chemin et me percèrent de quatre blessures, trois au corps et une au visage. Et maintenant je te donne le conseil de te garder [7], car pour moi, ils m'ont tué. » Quand Élie l'entendit, il rit de ses paroles et dit : « C'est un chagrin, pour moi, chevalier, que tu sois mon proche parent ; mais, par l'apôtre [8] que vont implorer les pèlerins, je veux, pour l'amour de toi, te venger de ces païens ; avant ce soir, je pense, je veux de

---

1. *C B D* j'étais sous les ordres et au service du roi Louis. — 2. *A* Angueo et Berti. — 3. *B D* chevaliers. — 4. *A* Aernald. — 5. *A* Pelliers ; *C* Nunpellies ; *B* Munfellies ; *D* Monfellusborg. — 6. *C D ajoutent :* le duc. — 7. *C B D* ta vie. — 8. *A C* mon apôtre.

ma lance tuer sept de ces chiens d'enfer. » Là-dessus il [1] s'élança très promptement sur son cheval, bien et magnifiquement vêtu. C'était agir en fou et en téméraire que de s'aventurer ainsi seul et imprudemment contre une si grande quantité de païens.

(VI) Élie poursuit sa route et le messsager reste derrière lui gisant. Il [2] traversa des forêts et des plaines pendant très longtemps. Les païens avancent aussi rapidement que possible avec leur grande armée. Macabré était leur chef et Jossé [3] commandait en second. « Seigneurs, » dit Macabré, « par ma barbe blanche, Mahomet nous a déjà heureusement aidés, en nous faisant mettre les chrétiens en fuite au milieu même de leur pays et en nous faisant conquérir de grandes richesses. Nous sommes fous si nous négligeons de surveiller nos prises. Nous avons ici en notre pouvoir le duc Guillaume d'Orange et le chevalier Bertran, son parent, un guerrier renommé. Faisons une chose qui me vient à l'esprit : envoyons ces gens vers le bord de la mer et montons sur nos vaisseaux ; si les chrétiens s'arment et veulent combattre contre nous, nous sommes mieux gardés sur les vaisseaux que sur terre. » Alors le méchant Malpriant dit : « C'est là pour nous le conseil le plus raisonnable et le plus convenable : faisons donc ainsi, il est toujours bon de prendre soin de sa sûreté » Ils appelèrent alors Malchabarié et Rodoant [4] de Calabre, Corsaut de Tabarie et Granduse [5] d'Orcle, Salatré le faux et Malpriant le perfide [6]. Malpriant était le dixième, Dieu fasse honte à sa barbe blanche [7] ! Ils amenèrent les comtes dans la prairie, les attachèrent et les firent monter sur les mulets, pieds et mains liés, car ils craignaient qu'ils ne pussent leur échapper, et ils s'éloignèrent alors avec eux de l'armée et marchèrent vers la mer; cinq d'en-

---

1. *C B D* Élie.— 2. *C B D* Élie. — 3. *A* Josi. — 4. *A* Rodeant.— 5. *A* Grandusa. — 6. *Cette énumération est fautive ; cf. l'Introd.,* § VI. — 7. *C B D* longue barbe.

tre eux allaient en avant avec les prisonniers pour veiller sur eux. Voilà qu'ils rencontrent Élie, au sortir de la forêt, et il est à croire qu'il rompra sa lance avant de partir. Que Dieu qui a tout en sa garde dans sa miséricorde, le protège ici et partout!

(VII) Les cinq princes chevauchent devant les prisonniers; et ils ont lié les chevaliers placés sur les mulets. Guillaume d'Orange soupirait souvent de douleur et d'affliction; il appela Bertran, son parent, et ses autres compagnons : « Amis honorés, » dit-il, « vaillants chevaliers, c'est grande pitié pour nous d'être embarqués sur ces vaisseaux et d'aller sur mer avec ces gens maudits : jamais plus nous ne pouvons espérer d'être secourus par aucun homme vivant. Guibourc[1], » dit-il, « courtoise dame, je vais bien m'éloigner de toi ! Je ne sais plus que dire maintenant; Dieu tout-puissant, je te demande de prendre à jamais nos âmes en grâce ! » « Méchant vaurien, » dit Rodoant, « ces paroles nous déplaisent, que tu appelles à ton aide ta loi et tes faux dieux ! Pour l'amour de ton dieu, auquel tu crois, tu vas recevoir de moi un coup dur et pesant ! » Et il leva un gros bâton, et le frappa si fort sur la tête que le sang jaillit partout sur lui. Quand Bernard vit comment il traitait Guillaume, son parent, il hocha la tête et mordit sa barbe : « Vilain chien, » dit-il, « c'est grande pitié que nous soyons enchaînés, et que tu nous frappes ! Puisse Dieu m'accorder d'assister à ta honte ! » Comme le païen s'apprêtait[2] à frapper une seconde fois, ils virent derrière une vigne s'avancer Élie, revêtu d'un bon, solide et élégant équipement. Le méchant Rodoant lui parla le premier : « Quelle espèce de chevalier es-tu, » dit-il, « toi qui chevauches ainsi seul ? Tu es un oison et un butor, si tu oses te mesurer à moi ! Je te prendrai ton cheval rapide, ta brogne et ton heaume doré, ton écu, ton épée

---

1. *A* Gibuers. — 2. *C B D* à lui donner un second coup.

et tout ce que tu portes avec toi. » « Ami, » dit Élie, « tu as parlé comme un enfant. Avant de me prendre mon écu, la brogne, le heaume et l'épée, tu éprouveras si grand déconfort que jamais depuis ta naissance tu n'en as supporté aussi grand. »

(VIII) « Ami, » dit Élie, « tu m'as demandé quelle est ma famille et quel homme je suis. As-tu vu, » dit-il, « ce grand parc près de la prairie où vous êtes passés ? Je suis le fils d'un prévôt de ce territoire ; mon père est riche en terres et en argent, et il m'a acheté aujourd'hui un équipement de chevalier et m'a donné des armes, et je suis venu jusqu'ici pour m'amuser et essayer mon cheval. Je sais maintenant, par une preuve réelle, que mon cheval est très rapide et que tout homme vivant, désireux de combattre et de se mesurer à d'autres, fût-il le plus noble et le plus brave de tous, trouvera toujours en moi son homme. Je veux savoir de vous, puisque vous êtes armés, où vous avez fait ces prisonniers que vous traînez derrière vous, à leur si grande honte. Sont-ce des marchands, ou des bourgeois ou des paysans [1] ? » « Non, » dit ce méchant chien [2], « ce sont des vassaux de naissance. L'un d'eux est Guillaume d'Orange : un autre Bertran, le fils de sa sœur, vaillant guerrier et chevalier, Bernard et Ernaud [3]. » Quand Élie entendit ces paroles, du plus profond de son cœur il soupira de douleur : « Que dis-tu, » dit-il, « diable incarné ? Est-ce vrai que c'est là sire Guillaume et Bertran, son neveu, Bernard et Ernaud [4], leur compagnon ? Chien maudit, c'est bien imprudent à toi d'avoir mis la main sur eux, car, je le jure par la sainte foi que je porte à Dieu, tu auras payé cher tout cela quand nous nous séparerons. » Aussitôt Élie éperonna son cheval rapide, et, quand ils se rencontrèrent, il

---

1. *A* rois; *omis dans D*. — 2. *B* Rodeant; *C* Rodoant. — 3. *A B C omettent ces deux noms.* — 4. *A* Bernald et Arnald.

perça de sa lance son écu¹ et son corps même et le renversa mort de² son cheval, et dit : « Voilà la récompense de ton service ! »

(IX) Quand Corsaut de Tabarie vit Rodoant mort³ sur le sol, si bien que ni secours ni soins ne lui pouvaient plus servir, il cria à Élie à haute voix : « Vantard et fils de putain, » dit il, « que Mahomet garde mes yeux ! tu as tué cet homme pour ton malheur ! Avant que le soir vienne, tu le paieras chèrement. » Quand Élie entendit ces mots, il fut fort irrité des menaces et des insultes du païen, et poussa vivement son cheval⁴, qui partit en courant aussi vite qu'il le voulait. Quand il fut arrivé près du païen, il traversa de sa lance la blanche brogne et la poitrine du païen, et le renversa mort de⁵ son cheval, et dit : « A bas, vilain chien ! et ne t'arrête qu'en enfer ! »

(X) Élie a tué Rodoant de Calabre et Corsaut de Tabarie ; et tous deux gisent morts. Quand les trois survivants virent la chute de leurs compagnons, ils devinrent presque enragés de douleur et s'élancèrent tous aussitôt sur Élie ; ils ne l'abattirent pas de son cheval, tant sa défense fut solide, car Dieu le protégeait dans sa miséricorde et sa puissance. Quand il eut brisé sa lance, il frappa avec son épée⁶, et celui-là ne put jamais plus raconter une histoire qui reçut son premier coup. D'un second coup il fendit en deux l'armure du deuxième païen ; quant au troisième, il le saisit de ses mains et le pendit à un arbre, et il se hâta alors d'aller vers les prisonniers qui attendaient son aide, et ç'aurait été un grand bonheur s'il avait pu les délivrer. Mais alors commencèrent à croître les embarras et la misère, car les cinq païens qui étaient restés en arrière, à leur repas, l'aperçurent aus-

---

1. *C B ajoutent :* la brogne et lui-même dans la poitrine, de sorte qu'elle sortit par l'épaule. — 2. *C B* à terre. — 3. *C B D* étendu mort. — 4. *C B D ajoutent :* contre lui. — 5. *C D* de la selle. — 6. *C B D* il a brandi [*D* brandit] son épée.

sitôt. Quand ils l'eurent vu, ils se le désignèrent mutuellement. Tiacre [1] dit à ses compagnons : « Voyez ici, chevaliers, ce jeune homme qui descend la colline, et qui, par bravade et arrogance, ne porte aucun écu ; le cheval qu'il monte est très rapide à la course. Si vous me le permettez, je courrai droit sur lui et le jetterai à bas de cheval. » « Par ma foi, » dit Malatré, » c'est grande folie. Que Mahomet me protège ! tu n'auras pas ce cheval. Ce matin, » dit-il, « quand nous avons quitté l'armée, nous avons fait association et camaraderie : fol est qui les rompra ! Nous irons tous ensemble contre lui et le jetterons à bas de cheval. Alors entre nous, nous ferons le partage le plus juste de son cheval et de ses armes, pour que chacun de nous ait un lot égal. » « Par mon chef, » dit Tiacre, « ce serait bien manquer de courage que de chevaucher [2] tous cinq et d'assommer un seul Franc ; ce serait lâcheté, et non bravoure. Honni soit et déshonoré celui qui s'unira à d'autres pour le combattre, au lieu de se présenter seul ! »

(XI) Tiacre s'éloigna alors de ses compagnons, et s'approcha d'Élie. Quand il fut dans la plaine, il dit : « Qui es-tu, chevalier ? Crois-tu en Mahomet qui gouverne tout le monde ? » « Certes non, » dit Élie, « non plus qu'en quiconque le sert. Je suis le fils de Julien, le duc renommé. Mon père, ce matin, m'a fait chevalier et m'a donné cet équipement, et je pars pour mon plaisir et pour me mesurer aux ennemis, car les païens ont débarqué dans notre pays, et je cherche à les rencontrer, s'ils se laissent approcher, et, avant ce soir, je leur prépare un grand tumulte. » « Par Mahon, » dit Tiacre, « il va t'arriver un terrible malheur ! tu me laisseras ce cheval, et, à ta grande honte, tu seras renversé de sa selle, les pieds [3] en l'air et la tête en bas. » Quand Élie enten-

---

1. *Mss. ici et ailleurs* Triatre. — 2. *C B D* contre un Franc. — 3. *C B D* pieds tournés.

dit ses paroles, il lança son cheval¹ dans une course impétueuse, et perça de sa lance l'écu du païen, la brogne et son corps, et il le jeta mort à bas de son cheval² ; et quand il fut tombé, il³ s'écria d'une voix haute : « Arrogant et mauvais chien, je suis encore sur mon cheval et sur ma selle, et c'est ton cheval que je conduirai par la bride, et je pendrai à mon épaule gauche ton heaume doré et orné de feuillage, car avant ce soir, je le prévois, j'en aurai encore besoin.

(XII) Quand les quatre païens virent la chute et le sort de Tiacre, ils eurent de sa mort un violent chagrin. « Voyez, seigneurs, » dit Malatré, « quel triste et lamentable dommage nous cause ce jeune homme, à peine âgé de quinze hivers, qui nous a tué ce prince noble et vaillant, et, par sa bravoure et ses armes, l'a vaincu et déshonoré. Qu'il ne soit jamais honoré, celui qui ne regardera pas mon combat avec lui ! » Aussitôt il éperonna son cheval et lui lâcha la bride ; et Élie⁴, de son côté, poussa contre lui son cheval de toute sa vitesse, et quand ils se choquèrent, chacun d'eux frappa l'écu de l'autre avec une telle violence que les deux lances⁵ se brisèrent et que les deux champions tombèrent à terre. Aussitôt ils se relevèrent d'un bond et brandirent leurs épées, et Malatré se précipita sur Élie et le frappa par en haut, sur son heaume, si fort que toutes les feuilles en tombèrent à terre devant ses pieds, ainsi que toutes les courroies du heaume, et il frappa le cheval au cou, si bien que la tête vola au loin et que le corps tomba. « Vraiment » dit Élie, « tu m'as fait grand dommage. Tu as là une bonne épée ; et il est fâcheux qu'elle ne soit pas mieux tenue. Si je l'avais en ma possession, je ne la donnerais pas à mon propre frère pour la plus belle ville

---

1. *C B D contre lui.*— 2. *C B D ajoutent* : à terre.— 3. *C B D* Élie. — 4. *C B D chevauche contre lui avec la plus grande* [hâte et *(manque dans D)*] *impétuosité*. — 5. *A écus.*

de France. » « Par ma foi, » dit Malatré, « tu me fais rire avec tes folies ! cette épée est la meilleure qui soit et est bien placée [1] dans la main qui la tient. Tu vas de cette épée recevoir un tel coup sur la nuque, qu'il finira ta vie. » Élie lui répondit [2] : « Tu le penses ; mais moi aussi, j'ai une épée, qui te fera voir tout à l'heure si elle s'y connaît à trancher. » Et Élie, de son épée, frappa le heaume du païen, de telle sorte que tous les feuillages et toutes les courroies tombèrent de part et d'autre, et le bras droit avec lequel le païen devait se défendre, fendu jusqu'à l'épaule, tomba aux pieds d'Élie avec l'épée ; il [3] saisit alors l'épée [4] : « Loué sois-tu, mon seigneur tout puissant, qui as enlevé cette bonne épée du pouvoir de mon ennemi pour me la donner, et qui as rendu moindre le danger qui me menace ! » Il dit alors au païen : « Païen méchant et incrédule, sans foi ni Dieu, tu peux voir aujourd'hui [5] que la puissance et l'amitié protectrice de mon seigneur Jésus-Christ, notre Dieu à nous chrétiens, est bien plus forte que celle de votre Mahon, païens. Tu as reconnu comment coupe mon épée ; mais je vais te servir maintenant avec ta propre épée. » Et il le frappa entre les épaules sur le cou et le coupa en deux dans toute sa longueur, de sorte que chacune des deux moitiés tomba à terre. Puis il [6] sauta sur le cheval du païen. Qui maintenant le défiera, aura fier combat à soutenir.

(XIII) Quand Jossien vit mort et étendu à terre Malatré, le fils de sa sœur, il dit : « Celui qui t'a frappé, mon beau neveu, m'a fait grand dommage. » Il se précipita alors aussi vite que possible sur Élie, et de sa lance frappa l'écu si fort, que les éclats de la lance volèrent par-dessus sa tête. « Vraiment, » dit Élie, « tu es un rude guerrier,

---

1. *A* défendue. — 2. *C B* « Oui [ami, *ajouté par B*], » dit Élie. — 3. *C B D* Élie. — 4. *B D ajoutent* : et dit. — 5. *D* maintenant tu peux voir quelle est la plus grande de la puissance et de la bonté de notre Dieu tout puissant, ou de votre indigne superstition et païennerie, à vous que le diable tient déjà. — 6. *C B D* Élie.

un hardi chevalier! tu aurais bien voulu me tuer, si Dieu te l'avait permis. Mais mon Dieu, Jésus-Christ, me protège toujours dans sa miséricorde! » A ces mots, il brandit son épée, marquée de caractères païens, et frappa le païen par en haut sur le heaume de façon que la tête vola loin du corps et tomba à terre sur l'herbe. Élie saisit le cheval rapide par la bride [1] : « Je veux donner celui-ci, » dit-il, « à Guillaume ou à Bertran, son parent. » Alors le vieux Salatré dit : « Celui-ci est un enchanteur, puisque même de forts chevaliers [2] n'ont rien pu lui faire. » « Oui, » dit Malpriant, « par la foi que je dois à Mahon, laissons-le aller librement, et éloignons-nous au plus vite de lui : il veut nous en faire autant à l'un et à l'autre, s'il peut nous tenir. »

(XIV) Le vieux Salatré dit : « Pourquoi prononces-tu ces paroles monstrueuses ? Que Mahon dans sa colère maudisse mon corps, si je pars d'ici avant de connaître ce qu'il est! » Ils trouvèrent Élie à l'ombre d'un arbre qui s'appelle osier [3], auprès des prisonniers, qui souhaitaient fort son aide; s'il avait pu les délivrer, il aurait été affranchi de la mort. Mais les païens s'avancèrent par derrière et lui crièrent : « Méchant chien, tu es bien imprudent de mettre ainsi la main sur ces hommes! ils sont nos prisonniers! » Quand Élie les entendit, il sauta à cheval; et Salatré s'avança et lui donna un fort coup sur son écu; mais, pardessous le bouclier, Élie lui assena un coup oblique en plein corps et le fendit en deux de sorte que ses entrailles sortirent. Malpriant [4], que Dieu lui prépare la défaite ! prit la fuite; mais Élie le poursuivit le plus vite qu'il put. Malpriant monte un si bon cheval, que lors même qu'il courrait soixante quarts de lieue et traverserait un large golfe à la nage, Élie ne pourrait

---

1. *C B D ajoutent* : et dit. — 2. *C B D* hommes. — 3. *Mss.* ozer; *le texte fr. a* lorier.— 4. *D* Quant Malpriant vit ce coup terrible, il prit.

l'atteindre ni aux montées ni en plaine; et il fera bien de ne pas le suivre trop loin, car il ne sait pas à quelle masse d'ennemis il serait obligé d'avoir affaire.

(XV) Faites paix, maintenant, et écoutez! Belle histoire à entendre vaut mieux que remplir son ventre! Cependant on doit boire pendant le récit, mais sans excès. C'est un honneur de raconter une histoire, quand les auditeurs sont attentifs; mais c'est travail perdu, quand ils refusent d'écouter.

Élie poursuivit Malpriant si longtemps que dans une vallée il l'atteignit presque, et lui cria : « Méchant païen, retourne sur tes pas! Dieu te maudisse, toi qui si longtemps m'as tenu en haleine! » Malpriant répondit : « Tu parles comme un fou et comme un méchant [1]. Vois-tu [2], le terrain est si inégal là où nous sommes, qu'on n'y peut faire courir aucun cheval de guerre. Mais plus loin devant nous il y a de belles prairies avec de beaux gazons; là nous pousserons nos chevaux l'un contre l'autre, et nous verrons qui est le plus fort. Le cheval que je monte est agile et très vite : si je tombe de la selle, tu pourras l'emmener avec toi. » Élie répondit : « Sire Dieu, fais-moi ce don : je désire tant cet excellent cheval d'Aragon [3] . . . . »

. . . .

. . . . qu'il le poursuivit pendant cinq étapes. Mais le cheval d'Élie était fatigué, et il [4] s'abattit sous lui sur le sable. Alors il [5] cria au païen avec grande colère : « Malheur à toi, lâche païen! retourne en arrière! Dieu [6] te maudisse! »

(XVI) Malpriant répondit : « Tu es maintenant trop fou,

---

1. *C B* Tu es un homme très fou et très méchant. — 2. *C B D* Ne vois-tu pas. — 3. *Ici le copiste de A a omis quelques mots qui ne peuvent pas être suppléés d'après les autres mss.* — 4. *C B D* de sorte qu'il. — 5. *C B D* Élie. — 6. *C B D* Dieu soit irrité contre toi.

en tes paroles, et tu ne t'entends pas à te préserver. C'est bien imprudemment que tu as entrepris cette chasse après moi que tu poursuis depuis si longtemps, car voici devant nous rassemblés sept mille de mes compagnons, et il n'en est pas un d'entre eux qui ne désire te tuer. En vérité, » dit Malpriant, « c'est de la folie et de l'imprudence ! Tu nous as fait aujourd'hui tel dommage qu'il ne se pourra jamais réparer ; mais le temps vient que tu t'en repentiras. » Ils parlèrent si longtemps ensemble que toute l'armée s'approcha. Quand les païens les virent, ils accoururent et vinrent au-devant d'eux. Et maintenant que Dieu prenne en grâce le bon et courtois Élie ! Il est bien en danger de mourir ou de perdre quelques-uns de ses membres.

(XVII) Quand Élie vit les païens qui étaient à pied accourir vers lui, et le gros de l'armée qui les suivait à cheval, il demanda de tout son cœur à Dieu de [1] le prendre en miséricorde, et il s'aperçut alors que Malpriant prenait position et chevauchait lentement et ne le craignait pas. Le cheval d'Élie, qui était fatigué tout à l'heure, avait regagné des forces, car il avait repris haleine et s'était reposé pendant qu'ils parlaient ensemble. Élie poussa alors son cheval contre Malpriant, et de sa lance le frappa sur son écu qui, du coup, aussitôt se sépara en deux, et il enfonça la lance dans sa brogne et jeta le païen de cheval aussi loin que portait le bois de sa lance ; il le renversa dans une ornière de la route, de sorte que le [2] bois de sa lance s'échappa de sa main [3] et qu'il tomba sur le visage. Élie sauta sur le cheval du païen aux yeux de toute l'armée, et poursuivit son chemin. Dieu le protège ! Aucun homme vivant ne peut plus l'atteindre ni se rapprocher de lui, aussi longtemps qu'il voudra fuir, car le cheval [4] n'a

---

1. *C B D* de le prendre en aide. — 2. *C B D* sa lance. — 3. *A C* ses mains. — 4. *C B D* était plus rapide que tout autre cheval [*D* bête].

jamais trouvé son pareil pour la rapidité, et ne peut jamais être fatigué.

(XVIII) Malpriant [1] regarda derrière lui et vit Élie monté sur son cheval, lui qu'il haïssait le plus au monde, et il vit aussi qu'il préparait sa lance à l'attaque, comme s'il fût tout prêt à combattre et à jouter, et il cria alors à haute voix [2] : « Païens, vaillants guerriers, et champions d'élite, si celui-ci s'échappe, c'est la honte pour nous tous ! » Élie, qui entendait leur jargon, poursuivit son chemin. Il était monté sur l'excellent cheval, qui peut courir aussi fort et aller aussi loin qu'il veut. Une forte troupe de païens le poursuivit; mais ils ne purent l'atteindre que lorsqu'il le jugea bon. Il se retourna alors pour combattre ceux qui étaient le plus près; car ce fut pour lui un plaisir de les faire tomber, de les tuer, et de les bafouer, de les blesser et de leur faire honte.

(XIX) Il nous faut maintenant parler des comtes prisonniers, qui étaient étendus et enchaînés dans la prairie derrière Élie, plongés dans la douleur et le chagrin. Guillaume, le comte d'Orange, dit : « Sire glorieux, Dieu tout puissant, qu'as-tu fait du noble héros qui était venu ici pour nous secourir ? Je crains dans mon âme qu'il ne poursuive trop longtemps cet arrogant païen. S'il l'a attiré après lui jusqu'au gros de l'armée païenne, le secours nous viendra tard. Dieu puissant, maître de toute créature, doux consolateur de tous ceux qui souffrent, cher sauveur des affligés et des malheureux, prends nous en grâce, en miséricorde et en aide ! Si nous étions déliés, nous n'aurions plus de peine : nous irions à ces bons destriers de guerre et nous les prendrions ! » Comme il parlait ainsi, un paysan vient [3] vers eux de la forêt : il portait pendue à l'épaule sa cognée avec laquelle il avait travaillé

---

1. *C B ajoutent* : se glissa [*B* parvint à se dégager] hors de la fondrière [sur le côté sec de la route *manque dans B*] et. — 2. *C B D ajoutent* : aux paiens. — 3. *C B D* vint.

tout le jour. Mais quand il vit les païens [1] étendus à terre, il [2] s'enfuit loin d'eux; Guillaume l'appela [3] très doucement : « Ami, » dit-il, « n'aie crainte ; viens ici à nous, et tu entendras de quoi te faire plaisir, et tu auras, si tu crois en Dieu et à ses saints, compassion de notre malheur et de notre infortune. Nous sommes de France, et loin de nos amis. Il y a aujourd'hui un mois que ce peuple maudit et incrédule nous a faits prisonniers, et aucun jour ne s'est passé depuis sans que nous ayons souffert misère et affliction [4]. Coupe ces liens, que nous soyons libres. » « Excellent seigneur, » dit-il, « que puis-je faire ? J'ai sept enfants à élever ; je suis si pauvre et misérable, que l'aîné n'a pas assez de raison pour prendre soin du plus jeune. » Quand sire Guillaume entendit ces paroles, il eut pitié de sa pauvreté : « Va, » dit-il, « prends la bonne étoffe de soie et la pelisse de fourrure blanche qui ont appartenu à l'arrogant païen étendu mort à tes pieds, et vends le tout au marché pour trente escalins ; et nourris tes enfants avec, en attendant que tu vendes aussi ces quatre mulets que nous te donnons. » Quand le paysan entendit ses paroles, il fut content et joyeux, et il tira son couteau de la gaîne [5] et les délivra tous.

(XX) Quand sire Guillaume, comte d'Orange, se sentit libre, il bondit sur ses pieds et dit : « Dieu [6] tout puissant, roi du ciel, tu sais que je serai blessé de vingt blessures et percé de cent lances plutôt que de me laisser lier et saisir encore par les païens ! » Bertran, son neveu, dit : « Malheur aux païens, maintenant que je suis libre ! Si je les approche, je ne veux prendre d'eux d'autre rançon que la tête de leur corps [7]. » Et Bernard de Brusban [8]

1. *C B D ajoutent :* morts.— 2. *C B ajoutent :* eut [*B* très] peur et. — 3. *C B D* appelle. — 4. *C B ajoutent :* au nom de Dieu, viens ici et. — 5. *C B D* et coupa leurs liens. — 6. *D* Béni soit le tout puissant Dieu, roi. — 7. *C B D* de leurs épaules. — 8. *A* Bryslan, *ici et plus loin.*

parla ainsi : « Païens, » dit-il, « chiens maudits! Dieu nous donne de nous venger sur vous du mal que vous nous avez fait! » Ernaud le barbu reprit : « Il ne me plaît pas de dire autre chose que ceci : prenons pour nous en servir les armes qui sont là, et ces bons chevaux, et partons pour aider ce vaillant guerrier, qui a tué nos ennemis et nous a délivrés de la mort qui nous menaçait. »

(XXI) Maintenant voilà ces vaillants barons francs et libres de leurs maux, et joyeux de grande liesse. C'étaient les plus courtois et les plus braves chevaliers de tous les Français, en leur temps. Ils coururent aussitôt aux armes, et vêtirent leurs armures. Ils montèrent alors sur la colline et grimpèrent au haut d'une vigne et regardèrent autour d'eux, et ils reconnurent Élie, le bon et brave chevalier, qu'une grande masse de païens suivait et pourchassait, tant qu'il ne savait plus de quel côté pousser son cheval[1] ; et ils l'auraient vaincu et fait prisonnier, mais sire Guillaume d'Orange vint au plus vite à travers un vallon ; et quand ils arrivèrent au milieu des païens, on put voir leur vaillance, comment ils renversaient les païens de leurs chevaux, et les tuent, et abattaient leur orgueil. Ils en tuèrent tant que leur sang coulait, comme ferait une rivière. On put voir alors sire Bernard, le comte de Brusban, mordre sa barbe et tordre ses moustaches ; et les païens n'obtenaient jamais merci, quand ils étaient atteints par

---

1. *La phrase, depuis* qu'une grande, *est ainsi remplacée dans C B :* comme il fuyait devant l'armée des païens, mais parfois il revenait [*B* il se tournait] contre eux [*manque dans B*], et tuait en grand nombre les païens les plus rapprochés de lui. Élie [*B* frappe ceux qui sont les premiers, et] arrive à une fondrière, presque impraticable. Là les païens furent si près de le prendre que quelques-uns l'avaient déjà devancé, et il ne pouvait d'aucun côté s'échapper avec son cheval. — *D* : et une masse de païens auprès de lui, et ils le poursuivaient et chassaient devant eux et en arrivant à une fondrière dangereuse à passer, ils l'avaient presque atteint.

ses armes. Alors Jossé d'Alexandrie, le païen, dit : « Voilà un singulier peuple. Ici est aujourd'hui venu le roi Artur de Bretagne, le roi renommé et victorieux, et avec lui Gafer le fort et Margant l'irascible, et Golafre[1] le furieux, qui mange cinq ou six hommes à un repas. Retournons le plus vite possible à notre armée pour être secourus, car à ceux-ci aucun homme vivant ne peut résister. Ce sont des héros du peuple chrétien qui étaient morts depuis longtemps et qui maintenant sont ressuscités pour nous tuer et pour défendre leur royaume contre nous. »

(XXII) Comme un lion met en déroute un troupeau de moutons, quand, à l'improviste, il sort de sa caverne pour choisir celui qui, de tout le troupeau, lui paraît le plus gros, ainsi s'avançait sire Guillaume, comte d'Orange, contre la troupe des païens maudits, desquels il avait à se venger. Il les tuait et les dispersait, de sorte que tous ceux qui voyaient sa manière de faire étaient affolés. Aucun de ceux qui l'attendirent ne recommença à parler. Ses compagnons en faisaient tout autant. Et les païens s'enfuient vers leur armée ; mais ceux-ci les chassèrent, les tuant de leurs lances et ne s'arrêtèrent pas avant d'avoir mené la poursuite jusqu'au gros de l'armée ; et ce fut grande folie et imprudence de les pourchasser si loin. Jossé d'Alexandrie dit : « Mahon et Apollon, maudites soient la nuque et l'épaule de celui qui désormais jour ou nuit s'inclinera devant vous ou vous obéira, si vous laissez s'échapper ces hommes, qui nous ont fait tant de honte et de dommage, eux si peu nombreux contre une multitude! » Ils commencèrent alors l'attaque de tous côtés, et ils eussent remporté la victoire sur les comtes ou les eussent blessés, si Dieu ne leur fût venu en aide. Les vingt chevaliers que sire Julien avait envoyés après Élie arrivèrent de la forêt par un autre

1. *A Gulafri.*

chemin. Quand Élie les vit et les reconnut, il fut tellement [1] joyeux et content, qu'il [2] poussa son cheval et joignit Tanabré [3], un grand prince d'Alexandrie, et il lui asséna avec son épée un coup si fort sur le cou, que la tête avec le heaume et la coiffe roula au loin dans la plaine. Mais les vingt chevaliers se hâtèrent et se mêlèrent aussitôt au combat avec leurs lances tranchantes et leurs bonnes épées.

(XXIII) Les vingt chevaliers se sont donc joints aux cinq qui étaient là d'abord. Quand Élie vit cela, il remercia Dieu de leur venue ; et ils jouèrent, avec les sept cents païens, un jeu si rude, qu'aucun de tous ceux-ci n'en revint sans blessure et sans mal. La chose se fût bien passée, si les païens n'eussent eu d'autres plus nombreux compagnons, mais voici venir tout le gros de l'armée, à la tête de laquelle est Macabré ; et il n'y a rien d'étonnant que nos gens n'en soient pas réjouis. Il arriva à la fin que pas un des vingt chevaliers qui étaient venus au secours n'en échappa en vie. Mais sire Guillaume, le comte d'Orange, et Bernard, son frère, qui n'étaient jamais fatigués et ne s'arrêtaient jamais dans leur carnage de païens, crièrent et appelèrent Élie : « Bon chevalier [4], » dirent-ils, « viens ici vers nous, et nous nous défendrons mutuellement [5] : il le paiera cher, celui qui voudra te faire dommage ! » Et Élie fit aussitôt ce qu'ils lui disaient ; mais comme il entendit un païen qui demandait le combat, il lança son rapide cheval contre lui, car il préférait mourir à être appelé couard.

(XXIV commt.) Élie était très affligé et chagrin de la mort de ses gens et souvent les plaignait et disait : « Mal vous en a pris, nobles barons, de m'avoir suivi, puisque les païens vous ont vaincus, tués et faits prisonniers ! » En ce moment

---

1. *C B D* très. — 2. *C B D* et il poussa son cheval. — 3. *C B D* le prince [d'Alexandrie *manque dans C B*] qu'on appela Tanabré. — 4. *A* héros. — 5. *C B ajoutent* : aussi longtemps que Dieu voudra ; *D* : aussi longtemps que nous pourrons résister.

sur le front de l'armée s'avança un païen déloyal; il était fort et grand, avait quatre aunes et demie de haut depuis la ceinture jusqu'en haut; Dieu maudisse ses jambes, car elles étaient fortes et l'ont porté trop longtemps! Son épée était d'une longueur extraordinaire, et son écu était si grand et si pesant que le paysan le plus fort n'aurait pu le soulever de terre. Plein d'ardeur, il appela Élie à haute voix [1] : « Par ma foi, chevalier [2], » dit-il, « tu t'es bien défendu aujourd'hui ; mais le moment est venu de ta défaite. Je te conseille plutôt de renoncer à ta croyance et à ton Dieu : crois en Tervagant [3], qui fait des miracles pour nous, et à Mahon, qui donne le feuillage aux arbres, les fleurs et les fruits. » Élie répondit : « Tu es le roi des fous! Par mon seigneur et créateur, je serais le pire de tous les infâmes et semblable au misérable juif qui renia saint Martin à cause d'une salle où il était assis, si je reniais et abandonnais le seigneur du monde entier et de toute créature pour vos idoles. Je suis bien plutôt prêt à prouver par les armes, en la force de Dieu, que Mahon et Tervagant et Apollon, vos dieux, ne valent pas un fétu comparés aux saints de Dieu, qui habitent aux cieux! » Quand le païen entendit la réponse d'Élie, il s'emporta de colère avec une grande arrogance et ardeur, car il ne se croyait pas d'égal au monde en force, en valeur et en chevalerie. Ils poussèrent tous deux leurs chevaux en avant; et, comme les chevaux étaient très rapides, ils se heurtèrent si vivement et si fortement, les coups furent si grands et si puissants, l'attaque si violente que chacun d'eux renversa l'autre de cheval. Quand ils furent tombés tous deux, Élie, plus rapide à l'attaque, courut sus au païen et leva son épée à deux mains aussi haut qu'il put, et le coup à travers l'écu tomba sur la poitrine du païen et trancha toute la brogne, les entrailles,

---

1. C B D *ajoutent* : et dit. — 2. Par ma foi, chevalier *est remplacé dans C B par* : Que Mahon m'aide! — 3. *Mss.* Terrogant.

les deux mains et les pieds, de sorte que l'épée ne s'arrêta pas avant de toucher terre [1]. Le païen fit une telle chute que toute la terre trembla à l'entour, quand fut renversé ce corps maudit. Élie dit alors : « Mahon et Apollon t'ont mal protégé! »

Quand les païens virent tombé et mort leur plus grand champion, toute l'armée poussa un grand cri, tel qu'on eût cru que tous les diables d'enfer étaient rassemblés. Plus de mille païens se précipitèrent alors avec leurs armes et leurs épées tirées. Malpriant était le plus près : quand il voit son cheval, il le saisit tout de suite par la bride, chevaucha avec lui et le donna à garder à un païen. Ils se jetèrent tous sur Élie de chaque côté, et lui opposèrent leurs écus, et le saisirent de leurs mains et le lièrent si fort que la peau et la chair se détachèrent dès os [2] avec une grande perte de sang. Et quand sire Guillaume et ses compagnons virent cette triste aventure, ils s'élancèrent là où la mêlée était la plus forte, et frappèrent des deux côtés, si bien qu'en peu de temps ils massacrèrent cent païens. Mais voilà que plus de trois cents païens les attaquèrent. Lorsque Élie vit qu'ils allaient être pris, il leur cria : « Sire Guillaume, sauve ta vie et abandonne [3] ce combat, car je suis étroitement enchaîné, je suis prisonnier, et mon sort ou mon tourment ne sera pas meilleur, si vous êtes tués avec moi. » Et quand Guillaume et ses compagnons entendirent les paroles d'Élie, ils trouvèrent que le conseil était bon : ils se retirèrent donc du combat, mais les païens les pourchassèrent pendant plus de deux étapes, au nombre de sept cents, et ne purent s'emparer d'aucun d'eux.

(XXVI fin) Jossé d'Alexandrie dit aux autres païens: « Il nous est arrivé malheur, car ceux qui se sont échappés sont de grands et puissants princes, de braves chevaliers, tels

---

1. *Après ce mot commence une lacune dans A.* — 2. *D des mains jusqu'aux os.* — 3. *D* « Bons seigneurs, » dit-il, « ayez soin de votre vie, et abandonnez-nous. »

qu'aucun homme vivant ne peut tenir contre eux ou leur attaque, et avant que ces deux jours soient passés, ils nous reviendront avec vingt mille chevaliers; et s'ils nous rencontrent, aucun homme de toute notre armée n'en réchappera, car un d'entre eux est plus vaillant au combat que vingt des nôtres. »

(XXVII commt.) Toute l'armée alors se précipita vers les vaisseaux; et ils s'embarquèrent, et jetèrent Élie sous le pont entre les pieds des chevaux, et là l'enfermèrent, lié comme il était. Voilà les païens sur leurs vaisseaux; ils larguèrent leurs voiles, et, ayant bon vent, prirent la mer. Et ils parlaient beaucoup des comtes qui s'étaient échappés, disant que c'étaient des hommes forts et très braves, mais ils louèrent bien plus et par dessus tous l'excellent chevalier Élie. Alors le roi Macabré dit d'amener Élie devant lui, et cela fut fait. Et quand Élie fut venu devant lui, il parut au roi très beau, fort et bien fait de tous ses membres, et à la fois terrible et beau et plaisant à voir, élégant et imposant. Alors le roi dit à Élie : « Jure par Mahon que tu abandonneras ta foi et renieras ton Christ. Alors je te ferai couronner à Sobrie et je te marierai avec ma fille Rosamonde. » Le roi le fit délier.

(XXIV fin) Laissons maintenant Élie au milieu de ses ennuis, et parlons des comtes qui s'étaient enfuis de la bataille. Ils chevauchent leur chemin auprès du bord et regrettent fort Élie. Ernaud dit : « Il nous faut hâter notre voyage, afin de pouvoir arriver avant le soir au château de Saint-Gilles, car nous avons grand besoin de reconfort et de bon gîte. » Alors ils prirent le chemin à gauche près d'Arles[1], et traversèrent le fleuve qui porte le nom de Rhône[2] et arrivèrent avant la chute de la nuit au château de Saint-Gilles. Quand les habitants de la ville les virent passer par les rues, avec leurs chevaux

---

1. *Mss.* Alles. — 2. *C* Tove; *illisible dans B; b* Lutus.

couverts de sueur, avec leurs brognes rompues, leurs
écus fendus et leurs lances brisées, ils furent étonnés, et ils ne savaient quelles gens ce pouvait être, ni
d'où ils pouvaient venir avec leurs vêtements en lambeaux.

(XXV) Ils marchèrent vers le château, et souhaitaient d'y
entrer, quand ils rencontrèrent un homme méchant et fou
qui leur dit de s'éloigner et ajouta avec une grande
sottise : « Méchants hommes, que voulez-vous ici ? Vous
cherchez sûrement de grands désagréments, comme vous
montrez votre témérité et votre folie, en venant dans notre château équipés et armés comme des ennemis ! »
Guillaume dit : « Tu as eu tort de nous recevoir si follement. Bel ami, » dit-il, « nous sommes de France, et
messagers du roi Louis, et il nous a envoyés ici pour faire
ses messages au duc Julien qui a la garde de ce château.
C'est un déshonneur pour tout vaillant homme, envoyé
en message, de ne pas porter ses armes ou son armure
pour se protéger contre les méchants, car il est pénible
de tomber au pouvoir de ceux qu'il ne vous convient
pas de servir. » Le gardien de la porte du château reprit : « Par ma foi, vous n'entrerez pas céans, ni par
flatteries ni par belles paroles, car tu ne viens pas
pour parer un autel ni chanter des messes. Et si tu veux
aller plus loin, tu feras comme un malotru et un sot,
car je t'ai préparé un si grand coup de ce gros et lourd
bâton que voici, que tu en tomberas presque mort. » Et au
même instant il assena à sire Guillaume quatre coups
aussi forts qu'il put ; mais Guillaume lui opposa son
écu, qui se fendit en long depuis la poignée jusqu'en bas.
Quand le duc Guillaume vit la folie de cet homme et
l'accueil peu bienveillant qu'il lui faisait, il se rappela
qu'il était un seigneur et qu'il n'était pas convenable de
recevoir un coup d'un serf sans le rendre. Il brandit son
épée et frappa ce mauvais homme par en haut au milieu
de la tête, et le fendit dans toute sa longueur ; et il tomba

coupé en deux devant Guillaume qui le lança dans un fossé profond au pied du château. Quand le fils du gardien vit son père tombé et mort, il courut aussitôt, très effrayé, pour annoncer à sire Julien tout ce qui s'était passé entre son père et les nouveaux venus.

(XXVI comm^t.) Le fils du portier arriva dans la salle et cria à haute voix : « Sire Julien, que fais-tu ? Mon père t'a servi plus de quatorze hivers, et jamais pour prix de son service n'a reçu un cheval ou un mulet : aujourd'hui son service est cruellement payé. Je l'ai vu jeter dans un fossé de telle sorte qu'il en a eu l'échine brisée. Que jamais Dieu ne t'aide, si tu ne punis pas cela ! » Quand le duc Julien entendit ces paroles, il fut très courroucé, et jura pas sa barbe blanche : « Il n'est pas d'homme en ce royaume, que, s'il nous a fait ce dommage, je ne fasse pendre aussitôt. » A ce moment tous les comtes à cheval arrivèrent tout armés dans la salle. Sire Guillaume avait un autre nom, celui de *nez tort*; il parla ainsi : « Que le Dieu qui gouverne tout, qui a créé le ciel et la terre, et est meilleur et plus puissant que tous, vous bénisse et vous aide, sire Julien, vous et votre royaume ! Je[1] vous dirai que je suis Guillaume d'Orange au nez tort; celui-ci est Bertran, mon neveu, qui est presque aussi grand que moi; le troisième est Bernard de Brusban[2]; le quatrième est Ernaud, mon frère[3]. Il y a maintenant un mois passé que les païens nous ont faits prisonniers. Aujourd'hui de bonne heure nous avons été délivrés, et depuis nous avons chevauché si longtemps, que nous sommes arrivés ici. J'ai trouvé à la porte du château un homme fou et malveillant; il m'a porté quatre coups sur mon écu; au cinquième je me courrouçai, je lui donnai un léger coup de mon épée, et je le lançai dans un fossé au

---

1. *D* « Seigneur, » dit-il, « je ne veux pas maintenant vous cacher qui je suis; beaucoup de gens me nomment Guillaume au nez tort. — 2. *Mss.* Bruskam. — 3. *Mss.* le fils de ma seconde sœur.

pied du château. Mais nous sommes prêts à vous engager pour cela notre honneur, et à vous laisser à vous même le jugement de cette affaire plutôt que de vous voir à ce sujet fâché contre nous. » Et quand sire Julien l'entendit, il alla à eux et embrassa sire Guillaume et tous les autres et leur dit : « Par Dieu, à mon avis, vous auriez mieux fait de le pendre ! » Alors il dit à ses gens : « Debout, chevaliers ; prenez leur équipement ; ce sont seigneurs et princes : remercions Dieu qu'ils soient venus ici. »

Les comtes sont chez le prince renommé : vingt bacheliers prirent leurs chevaux et leurs armures ; on leur prépara des bains, et ensuite ils s'assirent pour manger [1] ; et quand ils furent rassasiés, sire Guillaume dit au duc Julien : « Tu as une belle et vaillante suite ; sire Louis, l'empereur, s'étonne que vous ne lui ayez pas encore rendu visite, et il s'en est plaint devant les plus hauts princes et ses vassaux. On lui a aussi dit que tu avais un fils qui a [2] l'âge et la force d'endosser l'armure. Dites-moi : est-ce un de ces beaux jeunes gens qui sont ici ? S'il n'est pas ici, envoyez après lui, car nous voulons le voir et l'emmener à Paris avec nous, et il fera belle figure parmi les plus forts et les meilleurs hommes du roi. » Le duc Julien dit en grand chagrin : « Par Dieu, bons seigneurs, vous venez trop tard, car ce matin je l'ai armé chevalier ; mais au moment où il a été équipé, il s'est enfui et m'a abandonné. Je n'ai pas voulu montrer ma puissance en face de sa folie ; j'ai fait mieux : j'ai envoyé après lui pour l'aider vingt chevaliers, les plus considérés auprès de moi ; mais je ne sais pas maintenant où ils se sont dirigés ni dans quel pays ils ont pris leur résidence. » Quand les comtes entendirent ces mots, ils se regardèrent les uns les autres. Ernaud le barbu dit : « Dites-vous vraiment, sire, que c'était votre fils qui

---

1. *b D* à table. — 2. *b D* avait.

montait un cheval gris-pommelé et portait un vêtement de soie d'or d'un rouge-brun avec une fourrure blanche ? Ce matin, comme nous sortions d'une forêt, il a fait preuve de si bonne chevalerie, qu'en peu de temps il a tué neuf chevaliers : un seul s'échappa et ne se risqua pas à l'attendre. Il le poursuivit jusqu'au moment où, près d'un gué, sept cents païens s'opposèrent à lui, et l'auraient fait prisonnier et vaincu, si les vingt chevaliers que vous lui avez envoyés n'étaient venus à son aide, braves et bons combattants, dont pas un ne saurait être blâmé ; mais les mauvais païens les entourèrent en si grand nombre qu'aucun des vingt chevaliers ne sortit vivant. Alors ils serrèrent Élie près d'un fossé, et le firent prisonnier, et le lièrent et l'emmenèrent avec eux. Et vraiment ses amis peuvent déplorer la perte d'un tel homme ! » Et quand Julien entendit ces paroles, il s'affligea beaucoup ; et la mère et la sœur du jeune homme pleurèrent le triste sort d'Élie, si durement retenu chez les païens. Alors une grande tristesse se répandit dans la salle, et toute la joie qu'ils avaient auparavant se changea en silence triste et désespéré : on ne songea plus à entendre harpes ou vielles ou symphonies ou autres semblables instruments à cordes. Le duc alors appela un homme nommé Thomas ; c'était un riche marchand, et toutes les mers lui étaient connues. Julien lui dit : « Tu vas équiper au plus tôt mon vaisseau le plus grand, tu le fourniras de vivres suffisants et tu prendras avec toi vingt sommes d'or, des autours et tout ce dont tu peux avoir besoin ; tu iras aussi vite que possible et tu ne t'arrêteras pas avant de savoir sûrement en quel pays les païens ont emmené mon fils. Toi, Salatré, tu voyageras avec lui. Soyez tout-à-fait prêts aujourd'hui, et demain partez ! » Et on ne raconte plus rien d'eux dans cette histoire. Sire Guillaume et ses compagnons se sont levés de bonne heure et demandent la permission de s'en retourner. Sire Julien les traita avec beaucoup d'honneur ; il leur donna les destriers les plus excellents, à chacun d'eux cent escalins et un écuyer pour porter leurs armes et les servir, et ils se séparèrent amicalement.

(XXVII suite) Les[1] païens naviguent sur mer, et abordent après cinq[2] jours dans le pays qui se nomme Ungarie. Quand ils eurent jeté l'ancre au pied des rochers de Sobrie, le roi Macabré appela les Francs qui étaient prisonniers et aussi Élie, et ils furent amenés devant le roi. Le roi dit à Jossé, qui avait le commandement d'Alexandrie : « Prends ces gens avec toi, et inflige-leur tel châtiment qu'il te semble bon ; mais ce beau jeune homme, qui est si remarquable et imposant, restera avec moi, et s'il veut adorer Mahon, je lui donnerai en mariage Rosamonde, ma fille. » Alors le roi fit placer Mahon sur un pilier qui tout entier était de[3] pierres précieuses. Il dit à Élie : « Jure le par ta foi, Franc ; as-tu jamais vu un si beau dieu que celui-ci ? Il fait tout ce que je veux ; il me transporte d'ici en Afrique aussitôt que je le veux, et au nord en Écosse et de là aux ports d'Almarie[4]. Sache vraiment maintenant : quand tu te seras soumis à lui, je te ferai riche en or et en terres. » « Sire, » dit Élie, « vous plaisantez, ou vous parlez comme un enfant ou comme un fou, quand vous dites avoir pour dieu ce maudit ennemi. Cette chose ne saurait se mouvoir et n'a ni vie ni corps ; et si un homme venait qui lui donnât un coup sous l'oreille, il tomberait, comme s'il n'avait jamais eu de vie. Malheur à sa puissance et à ceux qui le servent ! » Malpriant était tout près et entendit ce que disait Élie. Il en devint presque enragé de colère et courut vers Mahon, et lui dit à haute voix : « Dieu tout puissant, ne m'en veuille pas de ces paroles ! Ce Franc qui t'a inju-

---

1. *b ajoute au commencement de ce paragraphe :* Maintenant faut laisser cela et dire comment ; *D* Maintenant il faut traiter comment. — 2. *b D* huit. — 3. *b D* d'or et de. — 4. *Mss.* de Dalmarie.

rié est fou et ne comprend rien. Je t'engage ici ma foi que je te vengerai, si j'arrive vivant au pays, et aussitôt je le ferai pendre à ce haut rocher. » Quand Élie entendit ces paroles, il se courrouça fort et implora instamment l'aide et la grâce du Dieu qui gouverne tout [1]. Élie était libre sur le vaisseau du roi : alors il s'aperçut, ce qui lui causa grand émoi, que Malpriant faisait sortir son cheval de dessous le pont et le faisait conduire à terre ; il avait une selle dorée ; il était bridé et prêt à être monté. Ce cheval était si bon, comme il a déjà été dit plus haut, que jamais roi n'en avait eu de pareil. Élie dit à voix basse : « Aide-moi, seigneur Jésus-Christ, fils de la vierge Marie ! Il n'y a pas encore six jours passés que ce cheval était en ma possession. Plût à Dieu que je fusse assis sur son dos et armé comme je voudrais [2] ! » Alors il bondit en l'air avec une force si merveilleuse que personne ne put le tenir, et il vint jusqu'à terre, et il courut aussitôt vers l'homme qui conduisait le cheval, et lui donna un si violent coup de poing sous l'oreille qu'il lui brisa la nuque. Élie sauta sur le cheval aux yeux de toute l'armée et partit au galop. Quand le roi Macabré vit cela, il se courrouça fort et avec rage cria à Mahon : « Méchant dieu, » dit-il, « que fais-tu ? es-tu fou ou dors-tu ? Je t'ai promis fidélité : malheur à ta puissance et à ceux qui te servent ! Maintenant le Franc s'en va, qui t'a toujours outragé ! » Il appuya son pied sur un côté de la statue de Mahon et le renversa de son pilier et lui cassa le nez et le bras droit en deux. Les païens le saisirent alors : « Mauvais roi, » dirent-ils, « que fais-tu ? tu es plein de colère, de folie et de brigandage, en frappant et brisant ton dieu ! Va maintenant vers lui, et prosterne-toi devant lui, et prie le de te pardonner : sans cela tu mourras ! »

---

1. *D ajoute* : car il était en grande frayeur. — 2. *D ajoute* : car je me ferais hacher en morceaux avant de retomber en leur pouvoir.

« Je jure par mon chef, » dit le roi Macabré, « que celui-là est fou qui le sert et croit en lui; car son pouvoir est tout à fait miné et ne vaut rien, et ce n'est que tromperie et folie! Il a laissé échapper le Franc qui l'avait insulté et avait tué ses fidèles. Je suis vraiment plein de douleur et de honte de l'avoir fait délier, car il s'est enfui. »

(XXVIII) Lorsque le roi eut parlé ainsi, tous reconnurent qu'il disait la vérité, et quittèrent leurs vaisseaux. Le roi appela alors à lui sept cents chevaliers; et il y avait là Jossé d'Alexandrie et Hector et Gontier [1] : « Vous allez vous rendre au gué de Dalbier et attendre le Franc, qui s'est échappé et nous a joués.

(XXVII fin) « Si Mahomet le fait revenir, il aura bien agi dans son intérêt, et si le bon Mahomet se conduit si bien, je lui donnerai quatre cent mille marcs d'or pur; et je referai sa tête et ses épaules, ses mains et ses doigts et ses mollets, ses chevilles et la plante de ses pieds, plus grands de moitié qu'ils n'ont jamais été; je le ferai refaire tout neuf et de fin travail. »

(XXIX) Maintenant les païens sont tous sortis de leurs vaisseaux, et le roi est allé chez lui dans son bon château de Sobrie. Toute sa famille vint au-devant de lui, sa femme et son fils et la brillante Rosamonde, sa fille; et elle dit aussitôt à son père : « Vous m'avez promis, à votre retour de France, de ramener pour moi [2] de France un pauvre prisonnier, pour m'apprendre la langue welche. » « Par ma foi, belle fille, » dit Macabré, « j'en avais un comme tu le veux, auprès de moi; jamais, depuis que Mahon a créé le monde, il n'en est venu de tel en ce royaume. Il a vaincu Malpriant, ton fiancé, et a fait tomber cet orgueil et cette fierté qu'il croyait pouvoir avoir pour l'amour de toi, si bien que, quel que soit le nombre des hommes en campagne, si ce Franc est

---

1. *Mss.* Hercol et Guiver; *cf.* p. 132. — 2. *Ici se termine la lacune d'A.*

dans l'armée ennemie, Malpriant n'ose même pas entrer en conversation avec lui ! » Quand la jeune fille entendit son père louer de la sorte le brave héros, tout son cœur soudainement se prit d'amour pour lui, de sorte qu'elle ne put rien répondre ni demander la permission de sortir, mais elle alla se prosterner devant ses dieux et les pria de tout cœur de garder ce noble héros de honte et de mort.

Il faut parler d'Élie qui chevauchait le long du rivage, et implora la bonté divine et dit : « Seigneur Dieu, roi doux et puissant, conduis-moi en tel lieu et en telle herberge que je puisse m'y restaurer, car depuis longtemps je souffre du manque de vivres. Voici cinq jours passés que je n'ai mangé, et ma vigueur et mes forces s'épuisent. » Il descendit alors la colline, et, arrivé dans la plaine, il vit dans un bois, assis à l'ombre d'un grand arbre, trois larrons, et ils avaient là beaucoup d'argent qu'ils avaient pris et volé, ainsi qu'un grand coffre rempli d'or fin de maint pays. Ils s'étaient donné là rendez-vous et tenaient conseil, et ils avaient apporté leur repas somptueusement préparé : deux paons et un cygne avec une bonne sauce au poivre, et un grand pot rempli de vin et de bière mêlés et deux grands pains de froment. Quand Élie vit qu'ils se disposaient à manger, et que le repas était prêt et qu'ils s'offraient entre eux le pain, le vin et la viande, il fut pris d'un si pressant désir de manger qu'il ne put, sous aucune condition, se retenir plus longtemps. Il descendit doucement de son cheval, et sans demander ni eau ni serviette, il s'attabla aussitôt auprès d'eux sur l'herbe, et les trois larrons ne pouvaient pas couper aussi vite qu'il mangeait lui seul ; et le chef des larrons lui dit : « Tu es bien osé, avide glouton, de t'asseoir à notre repas et de ne pas nous en demander la permission ! Jamais il n'y eut main d'homme qui ait si bien appris à vider les écuelles ; mais tu le paieras cher avant de nous quitter. Ce cheval que tu as amené ici, tu nous le donneras ; et si tu te plains en quoi que ce soit, tu recevras de nous tels coups de poing, de bâton et de pied que tu ne pourras trouver de médecin pour te guérir. »« Ami, » dit Élie, « tu as tort de t'exprimer de la sorte : en parlant ainsi, tu ne calcules pas ce qu'ont coûté ces viandes et cette boisson que nous avons consommées. Nous voulons maintenant en savoir le prix : dis-nous la vérité là-dessus, et je te paierai entièrement et sans faute ce que j'ai pris. » « Par mon chef, » dit le larron, « tu en sauras le prix ! Cent marcs d'argent pur ont été payés pour cela ; mais paie-moi dix marcs d'argent pur, et je te tiens quitte. » « Par ma foi, » dit [1] Élie, « je n'ai jamais vu chose pareille. Si tout est aussi cher dans ce pays, c'est bien mieux dans le pays où je suis né. Prenez, » dit-il, « ces cinq escalins d'argent pur et sans défaut, et ce vêtement de soie à fourrure blanche, qui m'a coûté cinq marcs d'or quand je l'achetai. » « Par mon chef, » dit [2] le larron, « tu vas parler autrement. Nous voulons avoir ce cheval que tu as amené ici [3] ; j'ai estimé que sa bride vaut vingt livres d'argent. Tu seras dépouillé et nous quitteras à pied, ayant à la main un bâton, comme un homme des bois. »

(XXX) « Malheur à toi, méchant vagabond, » dit Élie, « Dieu te fasse honte ! Je pensais, quand je vous voyais préparer votre nourriture, que vous étiez des vassaux ou des chevaliers, des bourgeois ou des marchands, sachant bien accueillir un prudhomme ; mais maintenant vous [4] dites que vous voulez avoir mon cheval pour votre nourriture et votre boisson, et vous voulez me trahir comme Judas trahit Notre Seigneur à table ! mais je jure par Dieu même et par le cher apôtre qu'implorent les pèlerins [5], que si l'un de vous est assez audacieux pour oser m'approcher, je le traiterai de telle façon qu'il [6]

---

1. *A* parla. — 2. *A* parla. — 3. *C B D ajoutent :* tu le perdras honteusement. — 4. *C B D* maintenant je vois que. — 5. *C B D* et par le saint apôtre Pierre. — 6. *C B D* qu'il ne réussira jamais.

n'en aura jamais aucune joie; et¹ je donne un faux denier pour vous trois ! Il vous faudra plus grande force avant de me mettre en fuite ou de m'effrayer.

« Malheur à toi, mauvais homme, » dit Élie; » Dieu vous confonde ! Je vois en vérité que vous êtes des larrons et de méchantes gens ². Où avez-vous pris cet or qui est là ? Si vous ne me dites sur-le-champ à qui il appartient, je vous pendrai ici même ! » Et il ³ frappa⁴ de son pied la nuque du chef des brigands; et le coup fut si lourd, que jamais plus il ne put répondre, car l'os de son cou fut rompu en deux; puis il saisit de ses mains le bras du second larron, et l'attira à lui, de sorte qu'il lui brisa le bras à l'épaule, et le cœur lui sortit du corps avec les entrailles ⁵.

(XXXI) Le troisième était ⁶ Galopin; il était petit de taille; il approcha, se jeta ⁷ à genoux, et demanda grâce pour lui et dit : « Excellent seigneur, fais toi honneur à toi-même; et ne me tue pas. Reçois ici ma foi que jamais je n'ai voulu rien faire de mal contre toi. Si tu veux que je reste avec toi, ce sera une grande amitié de ta part: tu n'iras jamais nulle part que je n'y aille volontiers avec toi; si tu as besoin d'argent, je t'en donnerai tant qu'il ne t'en manquera jamais : je connais caché dans le bois ⁸ de l'or en telle quantité qu'il dépasse en valeur quatorze bourgs et vingt-deux châteaux. Je suis resté quatorze hivers ⁹ le compagnon de ces hommes; et souvent on m'a tendu des embûches dans ce bois, nuit et jour; souvent j'ai été pris et jeté en prison et enchaîné cruellement. Mais je connais tant de ruses et d'artifices, que là où j'ai été le plus soigneusement gardé, je me suis

---

1. *C B D* et je ne vous donne aucun denier [*D* pour votre repas]. — 2 et de méchantes gens *est remplacé dans C B D par* : ou bien. — 3. *C B* ajoutent : courut [*B* aussitôt] vers le chef. — 4. *C B* lui frappa. — 5. *Ici commence le fragment H.* — 6. *C B D* s'apelait. — 7. *C B D* tomba. — 8. *C B* dans ce bois près de nous ; *D* ici dans le bois. — 9. *Ici commence le fragment F.*

échappé. Aussi je ne veux plus voler, car c'est un vilain métier que celui de larron, car le larron est vite pendu quand il est pris en volant. »

(XXXII) Élie vit Galopin à genoux devant lui, demandant grâce[1] : « Excellent seigneur, ne me tuez pas, car je suis de bonne famille et d'un riche pays ; je suis le fils du comte Tieri[2] du Sud. Quand ma mère m'eut mis au monde, trois[3] fées pendant la nuit me prirent de la chambre où j'étais couché, et l'une d'elles voulait disposer de moi et me prendre avec elle ; mais cela déplut aux deux autres, et elles se dirent mutuellement que je ne croîtrais pas ni ne deviendrais grand, mais que je courrais[4] si fort que Dieu ne créerait jamais créature vivante qui puisse aller aussi vite. » Comme ils parlaient ainsi, vint en courant un malveillant païen, Jossé d'Alexandrie, avec deux autres païens, ses compagnons et amis, Hector et Gontier[5]. Quand Élie les aperçut, il pensa qu'un grand[6] danger le menaçait, car il était sans armes[7] ; mais néanmoins il attendit le choc. Jossé arriva là et lui perça l'épaule ; mais Élie se détournant devant la lance, elle se rompit. Comme un autre païen se préparait à[8] le frapper[9], Galopin bondit en avant et brandit à deux mains une grosse massue de bois de pommier[10] et il frappa aussitôt le païen au milieu entre les yeux, si bien que la cervelle avec le sang resta attachée à la massue et qu'il tomba mort à terre. Quand Élie l'aperçut[11], il fut saisi d'étonnement de voir que ce larron était assez résistant et hardi pour attaquer un païen[12] armé. Mais quand Jossé eut brandi

---

1. *C B D ajoutent* : il [*D* le voleur] continua. — 2. *Mss.* Terri. — 3. *B* quatre. — 4. *C B F ajoutent* : que jamais n'existerait destrier qui puisse m'atteindre ; *D* : qu'aucun cheval ne me rattraperait à pied. — 5. *A* Hertori et Guntr. — 6. grand *manque dans A*. — 7. *C B D ajoutent* : contre eux. — 8. *C B F* à brandir son épée. — 9. *La phrase depuis* Comme *est remplacée dans D par* : L'autre brandit son épée. — 10. *D ajoute* : qui était près de lui. — 11. *C B D* vit cela. — 12. *C D* chevalier ; *B* prince.

son épée, et fait une seconde blessure à Élie, Élie le saisit par le bras et lui enleva violemment son épée; et quand celui-ci eut perdu son épée, il prit la fuite. Alors arriva Hector le troisième [1], et Élie le frappa aussitôt avec l'épée et le lança mort à terre. Là dessus il prit son cheval et dit à Galopin : « Dieu me garde dans sa grâce et me délivre de cette maudite troupe de païens, comme il est vrai que je ne t'abandonnerai jamais quand [2] même je devrais m'exposer à la mort! Prends maintenant ce cheval, car tu l'as bien mérité! » Alors Galopin dit : « Seigneur chevalier, noble ami, que ferai-je de ce cheval? je ne puis ni le pousser [3] ni le tourner; si je montais sur son dos, je tomberais tout aussitôt en bas. Prenez plutôt celui qui est le meilleur de ces chevaux; et moi, je prendrai cet écu doré aux attaches vertes qui est là à terre; et je conduirai par la bride ce destrier arabe, et s'il ne me [4] suit pas aussi vite que je veux, je le tuerai aussitôt avec ma massue pour que nos ennemis ne s'en servent pas. »

XXIII) Quand Élie eut entendu ce que disait le larron, qu'il allait si vite à pied qu'il ne voulait pas de cheval, il le laissa faire comme il voulait. Mais [5] ils perdirent la route qu'ils devaient suivre, car il s'éleva une telle obscurité qu'ils ne purent reconnaître aucun chemin, et ils allèrent errant dans le voisinage de Sobrie, la ville importante; et ce fut vraiment pitié qu'ils fussent arrivés là, car avant que le soir ne vienne, il pourra bien leur échoir souci et danger, douleurs et tribulations. A la porte du château, devant eux, se tenait Jossé qui, le même jour, avait poursuivi Élie et l'avait blessé; et aussitôt qu'il les vit, il s'élança et disparut, et courut aussi vite qu'il put à la

---

1. *C B F ajoutent* : leur compagnon; *D* : le compagnon de Jossé. — 2. *C B D* si comme il est vrai ma vie est en danger.— 3. *C B D* monter. — 4. *B* veut me suivre. — 5. *C B* Là-dessus ils prirent leur chemin et ils; *D* Là-dessus ils se résolurent au départ et comme ils avaient marché un peu de temps, ils.

salle du roi; et quand il vit le roi, il lui dit : « Par Mahon, sire roi, grande honte et grand dommage t'ont été causés en ce jour, car Hector[1], ton meilleur ami, a été tué, et Gontier et le roi Malgant, que tu as fait couronner. Quand le roi entendit ces paroles, il fut merveilleusement courroucé et chagrin : et il jura alors, par Mahon et par toutes ses autres idoles, que dans tous les châteaux et villes, aussi loin que s'étend son royaume, il ferait déclarer et juger Élie hors la loi et banni partout où on le saisirait. Le méchant Jossé répliqua : « Sire roi, » dit-il, « tu parles de grande folie. Par mon chef, tu n'as pas besoin de prendre tant de peine pour le chercher, car il est maintenant tout près, et vous pourrez vous rencontrer avec lui dehors devant la ville, si vous désirez le trouver. »

(XXXIV) Élie est arrivé sous les murs de Sobrie, et quand il vit les tours et les châteaux de la ville, il dit à Galopin, qui était devenu son serviteur en toute bonne foi : « Dis-moi, ami, ce pays t'est-il connu? Sais-tu quel est le seigneur de ce pays? »« Oui, » dit celui-ci, « je le connais très bien. Ce[2] sont les tours et les châteaux de Sobrie; dans cette ville est le roi Macabré et[3] son fils et[4] sa fille; dans tout le monde on ne trouve aussi belle femme qu'elle. J'étais, il y a peu de temps, dans cette forteresse en compagnie de ces hommes que tu as tués; et nous dérobâmes ici dans ce château beaucoup d'argent. Si le roi me prenait, tout l'or de Pavie ne l'empêcherait pas de me pendre aujourd'hui même. » « Tu m'as trahi, » dit Élie, « car par ta fourberie tu m'as conduit ici au pouvoir de mes ennemis. » « Non, sire, » dit-il, « par le noble seigneur qui naquit de la très sainte vierge Marie! mais l'obscurité était grande, et le chemin ne m'est pas entièrement connu! » Comme ils parlaient de cela et

---

1. *Mss.* Ertun. — 2. *C B F D* C'est Sobrie. — 3. *C B D ajoutent :* Chaïphas. — 4. *C B D ajoutent :* Rosamonde.

d'autre chose, de maudits païens arrivèrent en bondissant, que Dieu leur puisse donner honte, affront et dommage ! et ils tuèrent, sous Élie, le bon cheval qui valait plus de sept cents livres [1] d'or. Mais il les écarta de son épée et frappa de tous côtés. Galopin saisit une lance et l'aida autant qu'il put, de sorte qu'en peu de temps ils tuèrent quinze [2] païens et les survivants s'enfuirent. Élie et son compagnon cherchèrent devant eux et continuèrent leur chemin au pied des murs de la ville, et ils arrivèrent dans un jardin qui était sous la ville ; jamais nul homme n'en a vu un si beau et si bon. Mais les païens qui s'étaient échappés se hâtèrent vers le palais du roi et racontèrent au roi leur mésaventure. Quand Rosamonde entendit cela, elle se réjouit dans son cœur et dit : « O Mahon, mon seigneur suprême, permets-moi de vivre assez longtemps pour que je puisse avoir [3] ce vaillant chevalier en ma garde : je mettrai en sa puissance ma vie et mon corps tout ensemble. »

XXXV) Toute cette nuit, Élie la passa dans le jardin herbu au pied des tours ; il était livré au chagrin et aux soucis, courroucé et affligé, et il tomba souvent en défaillance, déplorant ses malheurs, et il dit [4] : « O sire Julien, mon père, j'ai commis une grande folie, quand je te quittai sans ton congé et la rancune au cœur, car maintenant ma vie ne vaut rien [5]. Il est certain aujourd'hui que jamais plus tu ne me verras en bon état et bonne santé. Galopin, » dit-il, « va maintenant ton chemin ; ce jour nous séparera en grande affliction : car je n'ai plus de force [6]. » « Non, sire, » dit le larron, « je ne m'éloignerai pas même pendant ce jour, si vous ne m'accompagnez. Je me ferai

---

1. *B D* marcs. — 2. *D* dix. — 3. *C B D ajoutent* : une nuit. — 4. *Ici finit le fragment F.* — 5. car..... rien *manque dans C B D*. — 6. car je n'ai plus force *est remplacé dans C B D par* : prends soin maintenant de ta vie [*D* aide-toi bien], car ma vie ne vaut plus rien.

plutôt tuer que de vous abandonner ainsi malheureux et sans soins. »

(XXXVI) Quand la nuit fut passée et que le jour parut, les païens sautèrent sur leurs chevaux, les maudits fils de chiens ; et les voilà qui menacent Élie, voulant le prendre pour le mutiler ou le tuer. Mais Rosamonde s'était levée de bonne heure [1] ; elle entendit chanter aux petits oiseaux leur douce chanson qui salue le jour, et elle pensa aussitôt à la douceur de l'amour, et elle dit : « O Mahon, mon seigneur magnifique, tu es si fort et si puissant que tu fais pousser à l'arbre ses feuilles, ses fleurs et ses fruits : délivre mon Franc des mains des méchants princes païens, qu'ils ne le tuent ni ne le blessent ! » Quand elle eut parlé ainsi, elle regarda en bas au pied de la tour, dans la prairie, et vit Élie qui gisait dans le verger sous la tour. Pendant ce temps les Francs qui étaient en prison plaignaient et déploraient sans cesse le triste sort d'Élie. Entendant leurs paroles de compassion, Galopin alla dans leur direction et écouta attentivement, et ensuite prit Élie, le mit sur son dos et voulut l'emporter avec lui. La jeune fille alors lui dit de la tour : « Ami, petit compagnon, dépose le bon chevalier que tu portes sur ton dos ; si tu l'emportes plus loin, ce sera folie, car devant toi se tiennent trente païens, et il n'en est pas un d'entre eux qui n'ait hache ou lance, bâton ou pierre ; et ils sont postés là depuis hier soir, et toute la nuit ils vous ont gardés pour vous empêcher de fuir, car tel est l'ordre qu'ils avaient.

« Bon ami, » dit-elle, « petit compagnon, écoute mon conseil et suis-le. Dépose-le doucement de ton dos ; je le recevrai [2] et apprendrai ses aventures ; jamais je ne fus l'amie de ceux qui l'ont traité ainsi. »

(XXXVII) Elle sortit alors de sa chambre à coucher, et ne prit

---

1. *C B ajoutent* : et monta sur le balcon. — 2. *C B D* je lui parlerai et.

avec elle aucun compagnon. Elle était vêtue d'un bliaut de la plus belle étoffe de soie à fourrure blanche, broché d'or et d'oiseaux, qui tombait jusqu'à ses pieds. Elle revêtit par dessus un petit manteau du meilleur velours. Sa peau était plus blanche que la neige nouvelle tombée sur les arbres secs ou que la plus blanche fleur de l'herbe. Il n'y a pas d'homme sur terre, qui, plongé dans le chagrin et l'affliction, ne fût, en la voyant, réjoui et heureux dans son cœur. Et elle vint à Élie, et lui mit la main droite sous le cou, là où il était étendu sur l'herbe. Quand le comte la vit, elle lui sembla si belle, si avenante, si agréable, si courtoise et si bien enseignée qu'il oublia toutes ses douleurs et se dressa sur l'herbe; et la jeune fille lui parla : « Chevalier, » dit-elle, « qui es-tu ? Crois-tu en Mahon, qui gouverne tout le monde ? » « Non, par Dieu, » dit Élie, « ni à aucun de ceux qui le servent : je suis venu ici par mer; j'arrive de l'ouest, de la bonne terre de Provence. Les païens m'ont fait prisonnier : Dieu me venge sur eux et leur fasse honte ! Je me suis échappé aujourd'hui de leurs mains, lorsque j'arrivais en ce pays. Après quoi, ils m'ont poursuivi et fortement endommagé, ils m'ont percé de quatre blessures que je crois mortelles; et mon plus grand chagrin est de mourir sans avoir confessé mes péchés. » « Par ma foi, » dit la jeune fille, « je sais maintenant de vrai qui tu es et je connais tout ce qui t'est arrivé. Ne te tourmente pas de ce que tu peux craindre, et suis-moi au plus vite : nous irons sans bruit, car je veux t'introduire dans un lieu où avant ce soir tu seras tout autre, si tu fais ma volonté. » Et elle prit Élie par la main droite et le conduisit [1]. Ils arrivèrent dans sa chambre, où étaient incrustées toutes sortes de figures d'animaux dorés; et elle le fit coucher dans un lit dont les rideaux étaient d'or. Les couvertures du lit étaient de la plus belle soie; celle de dessus était convena-

---

1. *C B D ajoutent* : derrière elle.

blement et noblement apprêtée ; et tout le reste de l'arrangement du lit était si excellent que le plus noble prince [1] de ce monde pouvait s'y reposer délicieusement. La jeune fille alors tira de sa réserve quatre herbes si puissantes que Dieu ne fit jamais homme ou créature vivante qui, goûtant ces herbes et les sentant descendre du cou à la poitrine, ne se trouve aussitôt aussi bien portant que le poisson dans l'eau. La courtoise jeune fille pila de ses propres mains les herbes et les donna à boire à Élie, le brave et fort chevalier. Quand il eut bu, et que la potion lui descendit dans la poitrine, il se sentit aussitôt guéri, et appela Galopin et lui dit : « C'est le paradis et la splendeur céleste ! nous y sommes entrés. Jamais je ne veux partir d'ici, si j'ai toujours pareilles délices ! »

(XXXVIII) Rosamonde la courtoise, la belle et la renommée, la rayonnante et la bien prisée, aimait beaucoup le fameux et noble comte Élie, d'un amour ardent et profond. Elle lui prépara elle-même la potion. Quand il eut bu et que le breuvage l'eut bien remis, il revint complètement à la santé et demanda à manger ; et aussitôt un repas fut apprêté, comme il pouvait le désirer ; puis un bain fut préparé et il entra dedans. Au sortir du bain, il resta quelque temps sur le lit, puis on lui apporta des vêtements. Jamais duc ou prince ne revêtit de plus riches habillements. La jeune fille s'assit alors auprès de lui ; et il la prit sur son giron et l'embrassa plus de cent fois. « Galopin, » dit Élie, « vois quelle femme elle est ! dans tout le royaume du roi de France on n'en trouve pas une seconde semblable. Et maintenant plût à Dieu, qui règne sur tout et demeure au ciel, que j'eusse ici avec moi dans ce château Agamor et Bernart, et Gamart et Aïmart le fort et Berhart, braves chevaliers ! [2] Avant d'a-

---

1. *C B* empereur ; *D* roi ou empereur. — 2. *Les noms des héros changent dans B* : Agamor et Bernart, Gaimar et Arnaut l'homme fort ; *C* : Guillaume et Bernart, Arnaut et Bertran ; *D* : Guillaume

bandonner cette jeune fille, nous ferions mordre la poussière à nombre de païens qui maintenant sont sains et gais ! » Quand Galopin l'entendit, tout son corps trembla de frayeur¹ : « Excellent seigneur, » dit-il, « pourquoi dites-vous ainsi ? Je suis tellement épouvanté que j'ai à peine ma connaissance, car je sais certainement, que si le roi apprend que nous sommes ici, nous serons pendus tous deux aujourd'hui même. »

(XXXIX, L et XLI) Or fut Élie quatre jours durant en grande joie avec la jeune fille dans la tour, sans que les païens, à qui Dieu fasse peine et déconfort, en découvrissent rien. Cependant Macabré, le roi de Sobrie, s'est mis à table ; mais avant qu'il se lève de table il entrera en courroux et chagrin, car Jubien² le roi de Baudas, le vieux aux cheveux blancs, est sorti de son royaume avec trente mille païens, et soudain ils ont planté leurs tentes dans les prairies autour de Sobrie, et ont établi des pierrières pour abattre les murs du château. Alors il envoya son messager adroit et habile en paroles avec son message ; et dans sa lettre il demanda à Macabré de lui donner sa fille Rosamonde pour femme et avec elle la moitié de son royaume, et il dit qu'il s'en contenterait. Donc, comme Macabré était à table, le messager se présenta devant lui et lui dit : « Seigneur de Sobrie, fais taire ceux de ta suite, tandis que nous vous disons notre message. Un messager ne doit entendre vilenie ou souffrir méfait à cause de son message. Mon seigneur Jubien, le roi à la barbe blanche, te mande que tu lui donnes pour femme la belle Rosamonde, ta fille³ ; et il est venu lui-même pour réclamer de ton royaume tribut et présents, car les plus anciens et les plus sages de ses hommes et ses conseillers lui ont dit que tu lui dois tribut. Que si tu lui refuses ces demandes, il t'appelle en combat singulier

---

d'Engeborg et Bertran son neveu, Bernart le beau et Arnaut le barbu. — 1. *C B D ajoutent* : et il dit. — 2. *A a toujours* Julien, *les autres mss. ont* Juben. — 3. *Ici commence le fragment E.*

ici dans la plaine; si tu peux le tuer ou le vaincre, alors toi et les tiens vous serez éternellement libres, et toute cette armée retournera sans te faire tort ni perte, et plus jamais tribut ne sera exigé de toi. »

(XLII) Macabré réfléchit [1], quand il eut entendu ces nouvelles, et répondit à l'envoyé de Jubien en grande colère et refus : « Ami, » dit-il, « dis à ton maître qu'ainsi puisse Mahon m'aider comme sa grande folie et son arrogance le rendent téméraire et le poussent pour son grand malheur à m'envoyer un tel message : car demain sans aucun doute il me rencontrera, ou un autre à ma place, pour l'empêcher les armes à la main de réclamer le tribut. Mais, ainsi m'aide Mahon, si tu n'étais pas un messager, je te ferais aussitôt couper un membre ou crever les deux yeux, et brûler ta barbe, et je te renverrais ignominieusement à ton honteux prince. » Le messager s'effraya d'entendre chose pareille, qu'on voulût le mutiler à cause de son message; ce n'est donc pas merveille s'il reprit son chemin le plus vite qu'il put.

(XLIII et XLIV) Le messager s'en va et il s'est bien acquitté de son message [2]. Mais après son départ, Macabré est assis là triste et affligé, et il parla à son fils qui s'appelait Caïfas de Sobrie : « Mon fils, » dit-il, « peux-tu mener à bien ce combat? car je l'ai accepté à cause de ta vaillance et de ta force. » « Sire, » dit Caïfas [3], « vous montrez et vous dites très grande folie : il y a aujourd'hui un mois que je fus pris d'une fièvre intermittente; et je ne monterai de cheval de guerre pour l'amour d'aucun homme vivant. Donnez lui pour femme votre fille, qu'il aime et désire tant; elle ne peut pas être mieux mariée, car il est considéré et très puissant. Que Mahon se courrouce contre moi, lui qui gouverne tout, si je me bats pour l'amour [4] d'elle! »

---

1. *E C B D* Alors M. fut triste quand. — 2. *C B D* affaire. — 3. *E C B D* il. — 4. *B ajoute* : de vous ou.

(XLV) Quand le roi entendit que son fils fait semblant d'être malade, il trouva qu'il était lâche par manque de courage; mais il n'en dit rien à cause des autres gens. Alors le roi dit à Jossé : « Arme-toi, et fais ce combat [1] pour moi. » « Sire, » dit ce chien de païen, « je me serais volontiers engagé à cela, si [2] cela ne m'avait pas nui hier : quand vous m'envoyâtes contre le Franc, il me fit une grande blessure qui saigne encore, de sorte que je ne puis me tenir droit à cheval ni bien porter l'armure. Que Mahon me donne ignominie et honte si avec ma blessure j'allais au combat pour l'amour de toi et si je m'exposais au danger, alors que je suis si peu propre à porter les armes ! »

(XLVI) Le roi entendit ces mots et que Jossé prétendait être malade, et n'osait pas aller au combat, et il appela Malpriant à lui et lui dit : « Bel ami, viens ici; tu iras au dehors dans nos champs [3] remporter la victoire dans ce combat [4], et tu vas t'armer à cette condition que si tu le tues ou vaincs ou réussis autrement à abaisser la colère et l'orgueil de Jubien, tu auras ma fille, qu'il demande avec ardeur et arrogance, et la moitié de mon royaume durant ma vie; et ensuite tu seras proclamé prince et seigneur, roi et empereur de tout mon royaume. » Le méchant Malpriant lui répondit : « Roi, tu dis des enfantillages et des puérilités ! Tu agis avec moi comme un vilain avec son chien, quand il le pousse là où il n'ose pas aller lui-même. Eh ! bien, puisque tu es prince et seigneur, roi et souverain élu de ce royaume, défends donc ton royaume et tes biens, ton domaine et ton honneur, ta puissance et ton peuple et la foule de tes sujets, pour ne pas être un couard et un lâche, contre celui qui jette le trouble dans ton royaume et veut t'humilier.

---

1. *C B D* duel. — 2. *C B D* si j'étais sain. — 3. *C B ajoutent* : combattre contre Juben et. — 4. *D ajoute* : sors et combats avec le roi Juben, car je connais ta force et tu le vaincras.

Mais ainsi puisse Mahon le tout puissant m'aider, que jamais je n'enfourcherai un cheval de guerre pour te défendre non plus que ton royaume [1] ! » « Malheur à toi, méchant homme ! » dit le roi, « tu pâlis aussitôt [2] de peur, et ta couardise est toujours la même : c'est [3] une honte que tu aies pris les armes. Tu es pour tous un sujet de risée et de mépris ; il en a déjà été ainsi sur les vaisseaux : quand nous devions descendre, tu as laissé s'échapper [4] par ta lâcheté et ton manque de courage le noble chevalier, le bon héros, que nous avions pris en France. S'il était aujourd'hui valide et ici avec nous, il nous délivrerait vite par ses armes et sa bravoure, ainsi que mon royaume, de ce combat et de ces outrages.

« Caïfas, » dit-il, « tu t'es conduit envers moi comme un misérable, quand tu as refusé ce combat avec Jubien : maintenant qu'il y va de ton honneur et de notre détresse, ta crainte et ta lâcheté sont pour nous deuil et chagrin, pour toi-même honte et déshonneur. Mais peu m'importe ta triste situation, car je lui donnerai ma fille pour femme, et sa dot sera la moitié de mon royaume, comme il le désire ; mais je ferai un traité spécial avec lui, pour avoir libre et franc de tout tribut, en paix et en liberté, le quart de ce royaume, aussi longtemps que mes jours durent. » Le roi appela [5] à lui Omer, son conseiller [6]. « Va, ami, » dit-il, « en haut, à la chambre de Rosamonde, et dis-lui de revêtir ses plus beaux et plus riches habits : je veux la marier avec Jubien. » Omer répondit : « Volontiers, sire, à votre commandement ! » Quand ils arrivèrent à la chambre, toutes les portes étaient entièrement closes ; et ils saisirent l'anneau de la porte et le secouèrent quatre fois. Quand

---

1. *C B ajoutent :* Quand le roi entendit cela, il fut extraordinairement courroucé et dit. — 2. *C B D* tout à fait. — 3. *C B D* c'est d'une manière imprévoyante. — 4. *C B* le Franc. — 5. *C B D* appelle. — 6. *C B D ajoutent :* et dit.

Rosamonde l'entendit, elle soupira de tout cœur[1] : « Par ma foi ; sire Élie, » dit-elle, « nous sommes ici dans une mauvaise affaire, car je pressens qu'on nous a espionnés et qu'on nous a bassement accusés. » « Demoiselle, » dit le comte, « ne crains point ! Si j'étais armé, tu me verrais donner de grands coups et prouver ma bravoure. » « Par ma foi, » dit la demoiselle, « il ne faut pas parler de chose semblable ; ne parle pas maintenant de combats ! Montez plutôt tous deux dans la [2] tour, et cachez-vous y. J'irai pendant ce temps à la porte répondre à ceux qui sont venus ; je pourrai donner une réponse convenable à leurs paroles. » « Qu'il en soit, demoiselle, » dit Élie, « comme vous le voulez ! » Quand ils furent cachés dans la tour, elle alla aussitôt [3] et ouvrit la porte. Omer[4] entra, le méchant traître, et dit : « Demoiselle, le roi vous ordonne de vous vêtir le mieux possible et de venir avec nous dans la salle ; je pressens qu'il veut vous faire honneur et vous marier. » Quand elle eut entendu l'ordre et la volonté de son père, elle s'habilla bien et noblement, comme il convenait à sa valeur et à son sens courtois ; elle revêtit un riche pelisson d'hermine, agrémenté au cou et aux manches d'ornements si beaux qu'on n'en avait jamais vu de pareils ; puis elle mit une robe tissue d'or, si fine et si coûteuse, qu'on n'en trouverait pas de semblable dans toute la païennie ; le petit manteau qu'elle prit sur elle avait été envoyé de l'ouest du monde païen, du pays où le soleil se couche et qui porte le nom d'occident ; trois fées tissèrent ce manteau du meilleur fil d'or avec tout le soin et toute l'adresse imaginables ; aussi, avant de finir ce tissu, passèrent-elles soixante hivers. Ce manteau était entièrement orné de grands oiseaux tout en or, et garni des plus grosses pierres précieuses ; les attaches du manteau et les agrafes des rubans avaient été vendus au roi

---

1. *E D ajoutent* : et dit. — 2. *E D* ma. — 3. *C B D ajoutent* : à la porte. — 4. *A E* Josi.

Macabré soixante livres de¹ besants purs par le marchand Samarien. Ensuite la jeune fille se ceignit d'une ceinture précieuse, qui semblait être un ruban d'or avec des figures de toutes sortes ; les orfèvres les plus renommés y avaient travaillé. Plus beaux que l'or étaient ses cheveux, qui tombaient entre ses épaules en tresses brillantes. Sa peau, là où elle apparaissait à nu, brillait plus blanche que la farine de froment et que la neige nouvelle. Jamais homme vivant ², à sa vue, ne pourrait vraiment s'empêcher de dire et de savoir réellement qu'il n'y en a pas de plus belle dans toute la chrétienté.

(XLVII et XLVIII) Quand la jeune fille fut entrée dans la salle, toute la salle resplendit de sa beauté et de sa parure. Quand le roi l'aperçut, il soupira de tout son cœur, et dit : « Belle fille, je suis soucieux et plein de chagrin, car Jubien, le vieux à la barbe blanche, le méchant, l'entêté, est venu ici de son royaume avec trente mille païens, à cause de la lâcheté et de l'outrecuidance de ton frère ; il l'a provoqué en combat singulier, et ton frère n'ose pas accepter ce combat et tenir sa promesse, ni combattre avec lui : aussi suis-je forcé, à mon grand chagrin et contre ma volonté, de te marier à Jubien. »
« Bon père, » dit la jeune fille, « j'aime mieux devenir folle furieuse ou me laisser réduire complètement sur le bûcher en charbons froids que si le vieux Jubien à la barbe blanche devait jamais toucher mon corps de ses mains tremblantes !

(XLIX) « Bon père, » dit la jeune fille, « il n'est pas honorable à vous, non plus qu'à mon frère ³ et à Jossé, qui se proclame un combattant et un guerrier, qu'aucun de vous n'ose se mesurer avec Jubien ! Tous vous le craignez, et vous renoncez à votre indépendance devant un seul homme, un vieillard tremblant, au point de vouloir

---

1. *C B D* d'or [*manque B*] éprouvé. — 2. *D* né dans le monde ; *B* au monde. — 3. *C B D ajoutent* : Chaïfas.

tous vous libérer de lui en livrant une femme ! Mais je vous le jure par le grand Mahon, si vous me le faites épouser par force, vous aurez des malheurs à craindre pour vous-mêmes, car avant qu'il ne se passe douze mois, je ferai abattre tous les murs de votre ville, ses châteaux et ses tours, et détruire et déshonorer votre demeure, puisque vous avez eu un tel dessein sur moi. Et maintenant que vous êtes tous anxieux et vaincus, soumis et accablés par Jubien, et que vous tremblez de lâcheté et de couardise, tombez à mes pieds et demandez [1] grâce ; et je vous procurerai un homme si brave qu'il nous délivrera, vous et moi, de ce combat. »

(L) La jeune fille dit : « Bons chevaliers, écoutez ma parole : si je puis trouver un si bon chevalier, qu'il ose marcher contre le vieux Jubien pour lui livrer bataille dans nos plaines, voulez-vous me promettre, seigneur, qu'il pourra, sans être nullement inquiété, se présenter à cheval et s'en retourner de même, et que personne[2] n'osera lui faire dommage ou tort, ou l'attaquer ? » « Bonne fille, » dit le roi, « n'en doute pas. Par la foi que moi et mon royaume nous devons à Mahon, je jure que partout où nous pourrons lui venir en aide, il ne lui sera fait aucun dommage ; que s'il est sans ressources, nous lui donnerons la fortune et le ferons riche et puissant ; et si tu le désires nous le marierons avec toi avec la pompe, la magnificence et les honneurs convenables. [3] » La jeune fille répondit : « Je ne demande rien de plus. »

LI et Là-dessus [4] elle se leva et alla dans son appartement
LII) parler à sire Élie. « Par Mahon [5], sire, » dit-elle, « je suis en grand chagrin et j'ai grand souci. Voici qu'est arrivé le vieux Jubien, qui demande bataille et combat,

---

1. *C B D ajoutent* : moi. — 2. *C D ajoutent* : de vous. — 3. *Ici finit le fragment E.* — 4. *C ajoute* : le roi jura à Mahon un serment ainsi que tous ses barons, comme elle l'avait demandé, puis. — 5. *C B D* Par ma foi.

et personne de nos hommes n'ose se présenter contre lui. Il faut bien dire que nos païens tremblent, et sont si lâches que toute l'arrogance qu'ils montraient de leurs exploits est devenue maintenant folie ridicule, honte et vilenie. Pas un d'entre eux n'ose sortir et combattre Jubien pour nous : ils aiment beaucoup mieux périr ici. Mais vous, si vous vous sentiez assez déterminé et préparé au combat pour marcher contre lui [1], sachez-le vraiment, je vous ferais moi-même avoir si grand honneur que vous ceindriez la couronne dans cette salle au premier jour de fête de l'été qui vient. » « Demoiselle, » dit le comte, « ce que vous dites ne me convient point. Je n'ai aucun désir de puissance et de richesses, et pour le prouver je ne veux plus combattre à cause de cela. Je ne veux pas prendre [2] une femme qui ne soit pas dans la foi du vrai Dieu. Cependant, à cause de vos païens et de leur lâcheté dont vous me parlez [3], si vous me procurez un destrier et une armure complète, j'irai au combat. Et si je rencontre [4] Jubien, il sera en triste état quand nous nous séparerons ; car s'il en sort avec la vie sauve, il ne provoquera plus en combat personne qui soit né en France !

(LIII) « Par ma foi, demoiselle, » dit Élie, « si vos païens veulent avoir un combat à cheval, et si le roi le demande, vous avez bien su trouver celui qui n'ira pas au royaume des morts en combattant contre Jubien, et je vous dis vraiment que Dieu n'a jamais créé de païen si fort et si puissant, s'il exige de vous avec arrogance ce qui ne vous convient pas, et s'il veut vous imposer le combat ou la soumission, qui ne rencontre ici un homme tel que je suis, qui défendra votre honneur et le vengera rapidement ! » Quand la jeune fille entendit ce qu'il disait, elle le remercia avec joie et dit :

---

1. *C* Juben ; *D* le vieux drôle, le roi Juben. — 2. *C D* avoir. — 3. *C B D* à cause de la lâcheté des [*c* de vos princes] païens. — 4. *C D* ajoutent : le roi.

« Excellent chevalier, douce fleur de belle jeunesse, n'oublie pas mon amour, quand tu frapperas avec ta lance, et ne redoute pas les menaces et le verbiage du vieux Jubien ! Mais il a un si bon cheval ! il court plus vite dans les montagnes, sur les rochers et dans les pays montueux que les plus rapides destriers de nos gens sur le terrain plat. Aucun lévrier ne peut courir assez vite pour le suivre. Ce cheval se nomme Prinsaut [1] d'Aragon, et il est si intrépide, qu'il ne ressent aucune frayeur en allant au combat. Quand il se trouve dans une grande mêlée, il frappe avec ses pieds et avec ses jambes, de sorte qu'aucun homme touché par ses sabots n'en revient vivant ; il mord aussi avec ses dents et il déchire comme un loup et [2] un lion. » Quand la jeune fille eut dit cela, le petit Galopin s'élança, et gesticula de joie avec ses deux mains, et dit : « Sire Élie, par ma foi, sire, aujourd'hui il nous [3] faut être gais et joyeux et ne rien craindre. Ayez soin d'avoir un bon équipement : je vous procurerai certainement ce cheval, à qui que cela déplaise. »

(LIV) « Par Mahon, sire comte » dit la jeune fille, « ce cheval est excellent, et c'est une grande aide dans le combat. Il a encore un autre usage dont il faut le louer beaucoup : il jette à terre tout cavalier qui n'a pas appris à bien monter à cheval ou à porter les armes ; aussi aucun mauvais chevalier ne peut-il le monter et il se choisit ainsi toujours les meilleurs cavaliers. » Galopin [4] va son chemin, il ne veut ni compagnon ni camarade ; il ne s'arrêta pas avant d'arriver à la tente de [5] Jubien ; il le trouva dehors, et le salua gracieusement et à la manière païenne : « Mahon, » dit-il, « qui garde tout, et qui gouverne le monde entier, protège [6] et honore [7] Jubien à la barbe blanche ! » « Bien puisse-t-il t'arriver, ami ! » dit celui-ci ; « qui es-tu ? et [8]

---

1. *B D* Primsamt. — 2. *C D* ou. — 3. *C B D* il vous faut. — 4. *C B D* tout seul. — 5. *C B D* du roi. — 6. *C B D* te protège. — 7. *C B ajoutent* : le roi. — 8. *C B D* ou.

de quel pays ? » « Sire, » dit-le larron, « d'Alexandrie ; je
suis un riche marchand ; et je conduisais ici un riche vaisseau de marchandises ; vous n'en avez jamais vu de plus
beau ; et j'amenais ici dix chevaux de guerre et dix [1]
mulets, les montures les plus commodes, que vous envoyait votre frère qui gouverne tout le pays d'Alexandrie
et qui vous aime par dessus tout ; mais le roi Macabré m'a
pris les chevaux et les mulets et a fait briser en deux et
brûler mon vaisseau, en honte de vous, car il avait appris
que vous vous prépariez à venir ici contre lui avec une
nombreuse armée. Maintenant c'est un grand chagrin pour
moi et pour vous un grand dommage que j'aie été
volé, car il me semble que vous n'avez pas de si bon
cheval que ceux qu'il m'a enlevés ; il m'a tué tous
mes matelots, mais j'ai réussi à m'enfuir. Je suis
venu ici me plaindre de mes malheurs et de votre
honte, afin que vous preniez vengeance de lui par un
châtiment convenable. » Quand[2] Jubien entendit ce qu'il
lui disait, il se mit la main sur la tête et jura : « Ainsi
puissé-je conserver cette tête, » dit-il, « comme je te ferai
rendre vingt pour un de ce qu'il t'a pris, et te ferai cons-
truire à ses frais un vaisseau aussi beau, avant que cette
armée s'éloigne de sa ville. »

(LV) « Sire, » dit le larron ; « je ne me chagrinais pas de
l'argent que j'ai perdu ; mais mon seul chagrin est
qu'il vous ait pris ces chevaux, si bons que jamais pareils
n'ont été en votre possession. » « Ami, » dit Jubien, « ne
te soucie pas des chevaux ! quand tu aurais amené mille
destriers ensemble, des meilleurs que tu aies vus ou entendu vanter, j'en ai un que je ne voudrais pas donner et
échanger contre eux tous [3] ; et tu vas à l'instant venir le
voir : il ne faut pas plus longtemps tarder. » Le roi le prit

---

1. D vingt ; B cinq. — 2. C D ajoutent : le roi. — 3. C ajoute :
et si tu m'offrais tout l'or d'Arabie, je ne voudrais pas vendre ce
cheval.

alors par la main et le conduisit vers le cheval. L'écurie
était tellement disposée pour la commodité du cheval, qu'il
était attaché avec une chaîne d'or, qui lui prenait la tête ;
sept païens le gardaient, et portaient tous leurs épées [1] : si
un homme vivant était assez téméraire pour mettre les
mains sur le cheval [2], ils le tuaient aussitôt. Jubien [3] prit
alors la bride de son cheval ; sa tête et ses pieds étaient
plus [4] blancs que neige, et sa crinière tout entière était
jaune comme les plus beaux cheveux de femme, toute
tressée en belles nattes et ornée de galons d'or. « Dis-moi,
ami, » dit Jubien, « tes chevaux étaient-ils aussi beaux ? »
« Non, sire, » dit-il, « jamais je n'ai vu un autre cheval
semblable à celui-ci ; jamais je n'en ai vu si convena-
blement soigné ! » Puis il dit tout bas entre ses dents :
« O toi, mon noble seigneur Élie, mon brave chevalier, si [5]
je puis venir à bout de ceci, tu pourras dire en vérité que
jamais roi de France n'a eu pareil cheval. Mais ce cheval
a sûre garde et trop forte défense. Que Dieu m'aide,
car je vais tenter la chose, quoi qu'il doive en résulter
pour moi. »

(LVI) Dès que le larron [6] eut vu le cheval, il ne pensa qu'au
moyen de pénétrer auprès de lui. Quand on se fut rassa-
sié à la table du roi, toute la suite s'en alla dormir, et
quand toute l'armée fut plongée dans le sommeil, Galopin se leva, sans prendre aucun compagnon avec lui.
Tout le monde dormait tranquille, car il ne pouvait
venir à l'esprit de personne qu'il pût s'agir d'autre chose
que de repos [7] au milieu d'une si grande et si terrible armée. Galopin arriva donc à l'écurie où était le cheval ;
et il avait soigneusement fait attention à la porte et à la
fermeture de la porte, quand le roi l'avait conduit là ; et

---

1. *C B D* tirées. — 2. *C B D* sur lui. — 3. *C B* Le roi Juben;
D Le roi. — 4. *C B D* blancs comme. — 5. *D* veuille Dieu qu'Élie
ait ce cheval, car alors il ne [lui] arriverait pas dommage. —
6. *C B* Galopin. — 7. *D* sécurité; *B C ajoutent* : et sécurité.

quand il entra, le cheval qui ne le connaissait pas s'effraya fort, et se montra terrible, et leva haut son pied et pensa le frapper. Comme un de ses gardiens qui s'était éveillé le premier, se levait, il fut atteint par le coup, et le coup l'atteignit si fort qu'il ne remua plus jamais. Quand il fut tombé, Galopin saisit l'épée qui avait glissé de sa main, et tua tous ceux qui étaient là, sans qu'aucun d'eux pût dire un mot[1]. Puis il s'avança vers le cheval et voulut le saisir; mais le cheval le mordit, et l'attira à lui, et le leva en l'air et le jeta au loin de telle sorte qu'il tomba à terre presque mort. Galopin s'enfuit alors, et n'osait plus l'approcher. Lorsqu'il eut saisi l'épée qui lui était échappée, il alla vers le cheval et lui assena avec le pommeau quatre forts coups[2] et dompta tout son orgueil; et le cheval commença à se calmer, et Galopin lui mit la bride, enleva la chaîne d'or de sa tête et prit la selle qui était là et la mit sur le dos

1. *La phrase depuis* s'effraya *est remplacée dans C B par :* mais tous les gardiens dormaient; alors Galopin arracha l'épée de la main de l'un d'eux, et assena au même le coup de la mort et ainsi l'un après l'autre, jusqu'à ce qu'ils fussent tous morts. — 2. *C B ajoutent :* [Le cheval] s'agita terriblement et leva le pied et assena à Galopin un coup si fort qu'il tomba loin à terre. Galopin bondit et vint de nouveau au cheval et veut le saisir. Mais le cheval le prit et l'attira à lui [*B* il le saisit] avec les dents, et saisit [*B* tellement] presque tout ensemble sa chair et ses vêtements [*B* ses vêtements et sa chair]; et l'attira à lui et le jeta [*B* jette] en l'air si haut et si violement que Galopin en reçut presque un coup funeste au toit de la maison. Mais il fit une chute si forte et si pesante sur le pavé, qu'il resta à terre privé de sentiment et presque mort, et quand Galopin arriva à se tenir sur ses pieds, il pensa à fuir, comme il le fit aussitôt; et il ne s'aventura pas auprès [*B* ne s'aventurant nulle part dans le voisinage]; et comme il sortait de la maison, il pensa que c'était grande honte [*B* et ignominie] de ne pouvoir dompter un cheval; et il pensa que cette impuissance ne passerait jamais. Il rentra de nouveau dans la maison; et prit [*B* ramassa] une épée et l'enfonça dans le fourreau et l'attacha soigneusement [*B* fortement]; il la saisit d'une main par le pommeau et de l'autre un peu plus loin; puis il la brandit au-dessus de sa tête et en assena quatre coups au cheval.

du cheval, et chaussa l'étrier, et sauta en selle. Quand le cheval commença à courir, Galopin tomba aussitôt à terre, et le cheval allait lui passer en courant sur le cou et la tête, quand, tout courroucé, Galopin le saisit par les rênes et l'emmena au plus vite avec lui ; et il maudit l'âme qui dans son enfance l'avait si mal élevé qu'il ne pouvait pas monter à cheval et ne le pourrait jamais.

(LVII) Galopin cependant s'en va, et il a le cheval avec lui. Jubien dort d'un sommeil qui lui sera fatal : devant son lit pend son épée au pommeau d'or. Galopin attacha le cheval, et se hâta vers la tente ; et quand il arriva au lit de Jubien dormant, il saisit aussitôt l'épée et se la pendit à l'épaule ; puis il tira l'épée plus d'à moitié, et il lui vint à l'esprit de tuer Jubien ; mais il ne lui sembla pas bien de le tuer pendant son sommeil, et il le laissa dormir en paix ; il s'en alla avec le cheval et l'épée ; et avant que le seigneur Élie fût éveillé, le cheval qu'il désirait si fort posséder était arrivé.

(LVIII) La nuit était passée et le jour levé ; et il y eut grand bruit dans l'armée de Jubien, quand les gens [1] s'aperçurent de l'absence du cheval, et ils coururent à la tente de Jubien avec cette nouvelle, et un païen lui dit : « Par ma foi, sire roi, tu dois être bien courroucé et affligé ! tu ne peux jamais plus faire seller Prinsaut d'Aragon ! » « Mahon puissant ! » dit le roi, « qui m'a fait ce grand tort ? » « Ainsi puissé-je jouir de la vie ! » dit le païen, « c'est le méchant gredin qui vint ici hier soir. Il n'a jamais été marchand ni messager d'autres pays ; c'est bien plutôt un mauvais larron et un traître espion, qui sait bien inventer mensonges et folies. Et il vous a volé aussi l'épée que le roi Gigant de Valterne vous avait donnée le jour que tu fis préparer un grand festin, et que Mahomet fut porté là-haut au sommet des rochers et

---

1. C D ils.

offert à l'adoration. Avise maintenant au plus tôt, et prends un autre destrier, car le moment du combat approche, si tu veux obtenir la jeune fille ! »

(LIX) « Seigneurs, » dit Jubien, « je suis en grand souci et chagrin, honte et outrage, d'avoir perdu mon cheval. C'était la plus grande force de ma valeur et de ma chevalerie, et cela ira mal pour moi, si ¹ Macabré s'en aperçoit ; aussi faut-il m'armer avant qu'il ne s'en aperçoive. » Alors quatre rois païens le revêtirent de sa brogne ; le roi Maldras de Sorfreynt lui ceignit l'épée, et le roi Jodoan de Valdune lui amena un cheval ; et quand il fut monté sur le cheval, il quitta aussitôt l'armée pour se diriger vers les prairies au pied de Sobrie. Quand il y fut arrivé, il cria à haute voix ² : « Méchant Macabré » dit-il, « où es-tu avec tes vantardises ? Viens au plus vite et combats avec moi ; je t'ai attendu tout le jour ; mais si tu as peur de combattre, livre-moi ta fille, la plus belle de toutes les femmes ! »

(LX) Je veux vous conter maintenant de Rosamonde la courtoise et d'Élie le bon chevalier, comment elle lui mit son armure. Elle le revêtit d'une brogne éprouvée, que Pharaon, le roi de Biterne, avait possédée ³ ; puis elle lui attacha ferme son heaume d'acier, si bon que personne n'en pourrait chercher de meilleur. Ce heaume fut perdu par Pâris, le roi de Troie, qui enleva la reine Hélène de Grèce, le jour où le roi Ménélas ⁴ le renversa de sa selle et lui trancha la tête à cause de sa belle femme que Pâris avait enlevée par ruse ; et Troie tout entière fut détruite et complètement ruinée et désertée. Quand le heaume fut attaché et bien fermé, Galopin vint et lui offrit l'épée de la main droite : « Courtois seigneur, » dit-il, « prends cette épée ! jamais roi ne fut qui en eût une plus éprouvée ; et

---

1. *C B D* si le roi. — 2. *C B D ajoutent* : et dit. — 3. *C ajoute* : elle était brillante comme de l'argent, et faite de forts anneaux réunis ensemble. — 4. *A* Menelans ; *B D* Menelaus ; *C* Menelais.

maintenant, sire, ceignez-vous cette épée au côté gauche, et je prie Dieu en même temps qu'il vous donne avec l'épée la force, la bravoure et la victoire. » Puis il alla à Prinsaut du château d'Aragon, et le lui amena avec tout le harnachement et la bride. Quand sire Élie aperçut le cheval, il embrassa Galopin [1] plus de cent fois, et ainsi joyeux [2] il sauta aussitôt de terre en selle. Prinsaut s'élança aussitôt en avant sous lui, mais le comte [3] le retint, et le fit retourner, et dit à Rosamonde : « Nous allons nous mettre en route à présent, demoiselle ; le moment et le jour sont venus, où je vais vous venger de Jubien et abattre son arrogance, si je puis le rencontrer. » Élie est si bien pourvu de cheval et d'armes que tout va à son gré : bon heaume, bonne brogne, excellente épée et cheval très rapide.

(LXI) Cependant Jubien est au dehors dans les prairies et l'attend, et crie à haute voix : « Que fais-tu, Macabré, traître rusé et perfide ? Viens ici, si tu l'oses ! je te propose un combat singulier, ou envoie moi ta fille, ou Caïfas ton fils, ou Jossé ton champion [4]. Qui vienne d'entre eux, il ne pourra jamais retourner, car il laissera ici sa vie et ses membres, sache-le pour sûr. » Quand le roi entendit ses paroles, il devint presque fou de colère et de dépit ; il appela un païen à lui : « Ami, » dit-il, « va vite trouver Rosamonde [5] ; elle a dit qu'elle procurerait un chevalier qui la défendrait contre Jubien et combattrait ici en champ. Mais si elle n'a pas fourni celui qui doit la défendre, alors certainement nous la livrerons à Jubien. » Celui-ci répondit : « Je ferai volontiers ce que vous dites. » Comme ils [6] parlaient ainsi, Élie au même moment en-

---

1. *B C et le remercia avec grande joie.* — 2. *D ajoute : il remercia bien Galopin pour sa peine.* — 3. *C B D Élie.* — 4. *C ajoute : ou le perfide Malpriant ; D : ou Malpriant, l'amant de ta fille.* — 5. *B Rosamonde, ma fille ; D ma fille.* — 6. *C B D le roi eut dit cela.*

tra à cheval dans la salle et la parcourut au galop et fit tourner son cheval en parfait cavalier, et le fit arrêter court au milieu du pavé¹. Quand les païens le virent, ils eurent tous grande peur ; le roi pensait que ni lui ni aucun autre ne pouvait espérer vivre, car il craignait qu'Élie ne le tuât ainsi que tous ceux qui étaient dans la salle ; et le roi jura devant ceux qui se tenaient à ses côtés que bien fou est celui qui se fie à ² une femme. Mais Rosamonde savait mieux ce qu'elle avait fait, car celui-là doit la défendre, et vaincre sûrement ses ennemis.

(LXXII) Alors la jeune fille dit : « Sire père, vous et tous les païens, vous m'avez engagé votre foi que ce Franc, partout où vous pourriez le protéger, serait en pleine paix. Maintenant tenez votre engagement ³, que vos paroles ne passent pas pour fausses! » Alors ils ouvrirent devant lui la porte de la ville, et il sortit à cheval. Tout le peuple, beaucoup de centaines de païens, courut aux créneaux du château, pour voir leur combat. Le roi et ⁴ Jossé et Caïfas et Malpriant et Rosamonde étaient là aux créneaux ; et lorsqu'Élie fut arrivé hors de la ville, il regarda derrière lui, et quand il aperçut Rosamonde, il lui sourit d'un sourire plein d'amour, et il éprouva la vitesse de son cheval, et galopa tout le long des prairies; et le cheval se montra excellent et très rapide, et Caïfas qui était auprès du roi dans la plus haute tour, dit : « Par Mahon, sire roi, tu viens de montrer ⁵ ici très grande folie, en laissant ce Franc aller à ce combat ! Maintenant il nous est échappé et il va s'enfuir. Mais, le pis à mon sens, c'est ma sœur qu'il a déshonorée : pendant quatre jours elle l'a caché et elle l'a eu dans son lit. Par le puissant Mahon, qui est le maître de tout, si toi, sire roi, et nos autres hom-

---

1. *C B D ajoutent* : de la salle.— 2. *D* aux paroles d'une femme ; *C B* aux paroles des femmes. — 3. *B D* vos paroles. — 4. *C B* et son fils, José; *D* et son fils Caïphas. — 5. *C B D* une grande folie.

mes le voulez [1], nous la brûlerons vive tout de suite, sans qu'il y ait aucun répit. » Quand Rosamonde eut entendu ses paroles, elle se courrouça fort : « Par ma foi, » dit-elle, « tu es le plus mauvais traître et le plus vil débauché et le plus grand menteur du monde, car tu as dis mensonge de moi [2] ; ce chevalier est un héros bien meilleur que toi et bien plus courageux. Misérable couard, » dit-elle, « c'est à toi qu'était proposé ce combat, et tu n'as pas osé le mener à bonne fin ; il sort maintenant pour combattre pour toi ; mais, par Mahon qui nous garde, si le roi et nos païens veulent avoir foi en mon conseil [3], jamais tu ne gouverneras le royaume, à cause de ta lâcheté pitoyable. » Quand Caïfas eut entendu cela, il la frappa de son poing avec toute sa force sur les dents, de sorte que ses lèvres se fendirent et que le sang en jaillit tout autour. Mais c'est bien imprudemment qu'il a porté les mains sur elle, car à cause du coup qu'il lui a asséné, il sera frappé de mort encore avant ce soir.

(LXIII) Élie est arrivé au champ en face de Jubien, et s'arrête. Quand Jubien le vit, il reconnut aussitôt le cheval, s'approcha de lui quelque peu et lui dit amicalement : « Qui es-tu, chevalier ? et qui t'a donné ce cheval ? Il n'a jamais été mon ami, celui qui l'a mis [4] en ta possession. Ta belle jeunesse est venue ici d'une façon bien imprévoyante, car elle va bientôt mourir. Je pense, » dit-il, « que Mahon est quelque peu fâché contre moi, car il a permis à Macabré de me tromper. Il m'a envoyé un méchant homme qui m'a débité des mensonges et des paroles trompeuses; si je l'avais su, je l'aurais fait pendre et brûler ensuite sur un bûcher. Maintenant, pour

---

1. *C B D* ajoutent : comme moi. — 2. *C B* tu mens maintenant un mensonge abominable ; *D* maintenant tu mens un mensonge odieux et infâme. — 3. *C B D* veulent comme moi. — 4. *C B D* te l'a donné.

ce qui touche ce combat, je te céderai, et donne-moi mon cheval. Tu m'accompagneras à Damas, ma capitale, et je te ferai échanson [1] : tu me verseras le vin et je te donnerai pour suite quatre cents païens ; et de plus tu auras un empire. »« Par ma foi, » dit Élie, « tu exprimes une folle intention ! Je suis un chevalier vassal de France, et je veux rester avec ce roi ; il a une fille qui ce matin m'a donné ce cheval, et ce serait un [2] bonheur si je réussissais à te faire tomber, car alors je posséderai son amour si fortement qu'elle n'aura jamais d'autre ami. » Quand Jubien l'entendit, il pensa devenir fou [3] : « Méchant fils de putain, » dit-il, « vagabond de basse naissance, es-tu donc si insolent, chrétien [4], que tu oses t'avancer et combattre contre moi ? Par Mahon, » dit-il, « et par tous les dieux en qui nous croyons, je ne serai jamais joyeux, aussi longtemps que je te verrai vivant ! [5] »

(LXIV) Aussitôt qu'il sut qu'il était chrétien, il [6] poussa son cheval, et porta à Élie de grands coups sur son heaume. Mais sire Élie était un brave chevalier très exercé aux armes : il ne fléchit pas devant lui ; au contraire, aussitôt que le cheval eut dépassé son adversaire, il le fit retourner ; et quand ils se rencontrèrent pour la seconde fois, avec un choc très dur, Élie lui transperça son écu, sa brogne et le corps même, et la lance s'enfonça si bien qu'il le lança loin de son cheval ; et quand il laissa échapper sa lance, Élie courut à lui, et lui tourna la tête vers la terre, tellement que son heaume fut fortement enfoncé dans le sable et que son cou [7] fut presque brisé. Alors Prinsaut d'Aragon, sur lequel Élie était monté, bondit et voulut aussitôt avec les pieds l'écraser à mort. Mais Élie le retint avec les rênes. Gondracle de Clis cria au roi Malinge

---

1. *C B D* mon échanson. — 2. *C B D ajoutent :* grand. - 3. *C B D ajoutent :* et dit. — 4. *C B D* et si impertinent. — 5. *C B* bien portant et vivant ; *D* bien portant.— 6. *C B* Et là-dessus aussitôt il ; *D* En même temps il. — 7. *B D* l'os du cou.

et au vieux Onebras et au joyeux Scibras : « Par Mahon, païens, » dit-il, « cet homme est enragé ! jamais jusqu'ici notre maître ne rencontra pareil chevalier. Je ne sais qui il est, mais il s'entend merveilleusement bien à monter à cheval ; il a renversé notre maître de sa lance, et ce Prinsaut d'Aragon qu'il monte veut le tuer. Armons-nous le plus vite possible, et venons en aide à notre maître, car il en a grand besoin ! » Et maintenant Dieu protège sire Élie, car toute l'armée de Jubien le menace de lui trancher la tête.

(LXV). Jubien fut affligé quant il se vit tombé de cheval et si mal descendu ; et il vit alors que Prinsaut voulait l'écraser avec ses pieds et l'aurait mis volontiers à mort. « Ho! bon cheval arabe, » dit Jubien, « tu me fais bien aujourd'hui de grandes menaces, et tu veux me donner la mort ! je t'ai gardé pendant de longs jours, et je t'ai magnifiquement vêtu dans ton écurie ; je ne souffrais aucun autre être vivant dans la demeure où tu étais, et maintenant tu veux me rendre une dure récompense, en me voulant tuer et déchirer¹ mes membres en les foulant aux pieds ! Et toi, chevalier, » dit-il, « écoute mes paroles pour l'amour de ta foi : donne-moi mon cheval dont je suis tombé, et si tu me fais tomber une seconde fois, tu feras une action renommée ! » « Volontiers, » dit Élie ; « je le ferai pour ma foi et pour ma prouesse ! » Alors Jubien tira son épée, courut sus à Élie et le frappa des deux mains sur son heaume, tranchant les feuilles et les courroies, de sorte qu'il roula au loin dans la plaine. « Par ma foi, » dit Élie, « tu as une bonne épée ! mais j'en ai une autre, et nous² allons essayer maintenant si elle peut³ t'endommager en quelque endroit ! » Et il tira son épée et frappa Jubien là où le heaume et la brogne se joignent, de façon que sa

---

1. *C B D* me fouler aux pieds. — 2. *C B D* tu vas maintenant reconnaître si. — 3. *C* elle peut couper.

tête roula au loin dans la prairie. Quand Rosamónde vit cela, elle cria ¹ à Caïfas : « Fou sans courage, » dit-elle, « tu peux voir maintenant ce dont ce Franc est capable. Plût à Dieu, qui gouverne le monde tout entier, que tu fusses armé là dans la plaine auprès de ² sire Élie et qu'il sût combien honteusement tu m'as traitée! Il aurait ³ bientôt éteint ton arrogance et t'aurait toi-même ignominieusement rabaissé; mais je le jure par la foi que ⁴ nous professons, s'il veut avoir mon amitié, avant que ce jour ne prenne fin, tu paieras cher le violent coup que tu m'as donné! »

(LXVI) Quand Élie eut tué le roi Jubien de Baudas, il prit aussitôt le cheval de celui-ci par les rênes, pensant retourner à Sobrie; et comme il chevauchait, il regarda devant lui et aperçut sept païens armés qui montaient de la vallée; et quand il les vit, il appela ⁵ Dieu à son aide de tout son cœur, et il tourna contre eux son cheval rapide, et, à celui qui ⁶ marchait en tête, il donna si lourde paie que jamais dans la suite il n'en demanda plus. Au second assaut, il en renversa deux de cheval, tous deux blessés et hors de combat. Puis il tira son épée et frappa Tanabraz sur son heaume de telle sorte que l'épée resta enfoncée dans l'épaule, et jamais plus il ne put prononcer une bonne parole. Mais Kareld d'Alfatt s'écria à haute voix : « Par Mahon, païens, c'est le fils de Letifer de la roche de Garas ; il a tué Faraon et Mars! S'il s'empare de nous, nous recevrons tous la mort ⁷! » Et alors s'enfuirent Selebrant et Jonatré. Mais Élie était monté sur le bon cheval, qui était plus vite qu'un épervier, et il les poursuivit jusqu'à leurs tentes. Selebrant fut le premier qu'il rattrapa : Élie le trans-

---

1. *C B* crie.— 2. *B D* de lui.— 3. *C B* Il t'aurait bientôt coupé la tête et je le jure. — 4. *C* que nous avons; *D* que j'ai. — 5. *C B D* appelle. — 6. *C B D* qu'il rencontra le premier. — 7. *C B ajoutent* : maintenant enfuyons-nous aussi vite que possible.

perça¹ de part en part et blessa le cheval à mort. Aussitôt que le faucon de ² Jubien, qui était attaché avec une chaîne d'or auprès de sa tente, eut aperçu Prinsaut ³, il voulut voler vers lui, car il reconnaissait le cheval et croyait que Jubien le montait; mais il n'y put réussir, parce que la chaîne le retenait. Quand Élie le vit, il s'approcha de lui et le prit sur son poing, car il savait la manière courtoise de prendre les faucons ⁴ et il dit : « Cet oiseau, je le donnerai à demoiselle Rosamonde, qui ce matin m'a refait chevalier. »

(LXVII) Élie revient, qui sait si bien combattre à cheval et se débarrasser de la foule des païens ; il portait le faucon sur son poing gauche et son épée nue dans sa main droite. De toute cette immense armée, personne n'était assez audacieux et puissant pour oser y trouver à dire ou seulement pour prétendre qu'il avait mal fait. Lorsqu'il fut sorti du jardin, et qu'il eut passé la porte de la ville, et qu'il arriva à la porte de la salle, il rencontra la jeune fille et lui dit : « Voici, belle ⁵, un présent qui convient à tes façons courtoises ! » Mais elle était courroucée et colère, et elle ne lui répondit rien. Mais Galopin vint à lui et lui dit ce qui s'était passé : « Par ma foi, sire Élie, » dit-il, « vous pouvez être mécontent : Caïfas lui a fait grande honte à cause de vous ; il l'a frappée jusqu'au sang. Si tu ne la venges pas, tu n'es pas digne d'être chevalier. »

(LXVIII) Quand Élie entendit cela, il entra en colère et courroux, et monta dans la salle avec son épée nue ; et quand il vit Caïfas, il poussa vers lui, et lui abattit la main droite de-

---

1. *C B* le frappa sur la tête et le heaume [et *ajouté par B*] la tête [et perça en entier *ajouté par B*] le corps et la selle et en deux [*dans B*] le cheval en deux morceaux [*B* au milieu]; *D* il le frappa sur le heaume et le perça en bas jusqu'à l'épaule et aussi la selle et le cheval en deux et il tomba complètement mort à terre.— 2. *C D* du roi Juben. — 3. *C D* le cheval Pr. — 4. *B D* oiseaux. — 5. *D* belle demoiselle ; *B* demoiselle.

puis le haut de l'épaule, et le marqua de telle façon qu'il ne put jamais monter à cheval ou être chevalier. Cependant les païens courent aux armes, et Macabré dit à haute voix : « Sire Élie, ne t'occupe plus de cette querelle. Prends ici mon serment : par la foi que je dois à Mahon, tu [1] peux être en paix et tu ne dois craindre d'autres maux que ceux que nous subirons ensemble, si tu veux te fier à moi dans ces circonstances. » « Par ma foi, » dit Élie, « volontiers, comme vous le voulez, sire roi ! » Et il s'en alla déposer son équipement [2]. Les païens virent le [2] comte très courroucé, qui portait à la main sa terrible épée ; de toute leur troupe aucun ne fut assez téméraire que d'oser lui dire quelque chose, excepté Macabré [3] et Jossé, qui [4] lui avaient engagé leur foi qu'il pouvait se considérer comme en sûreté. Là-dessus il alla dans l'appartement de Rosamonde, enleva son armure et ôta le heaume de sa tête ; Galopin prit sa brogne et la jeune fille saisit l'épée. Le fourreau et la courroie de l'épée étaient complètement ornés d'or pur et parsemés de pierres précieuses. Alors la jeune fille entoura le cou d'Élie de ses deux mains et dit : « Sire Élie de France, la grande force et le grand courage vous ont été octroyés dans une heureuse mesure ; jamais avant vous je n'ai vu de chevalier porter si bien ses armes de guerre. Le jour et le moment sont venus maintenant, où tu dois me recevoir comme légitime femme ; cela ne doit pas être retardé plus longtemps ! » « Tais-toi [5], demoiselle, » dit-il, « cela ne peut pas être. Tu es païenne et tu crois aux lois de Fabrin, et tu te courbes devant les idoles de bois de Mahon et de Tervagant ; or, quand on me donnerait cette grande vallée pleine d'or pur, je ne croirais jamais en eux. Mais plutôt accomplissons un projet qui m'est

1. *C B D* que personne ne te fera tort. — 2. *C B D* Élie. — 3. *C* le roi Makabret; *D* le roi même; *B* un roi. — 4. *C B D* qui avaient à lui engagé leur foi. — 5. *C B D* Non.

venu à l'esprit : prenons suffisamment d'or et d'argent et toute espèce d'objets de prix, et des vivres suffisants pour deux mois, ce n'est pas nécessaire pour plus longtemps, et nous nous rendrons dans la plus haute et la plus forte tour, et nous demeurerons là.

Nous [1] chercherons un [2] homme fidèle et nous l'enverrons vers mes gens pour avoir secours. Et alors viendra ici Julien, le duc de la ville de Saint-Gilles, et avec lui Guillaume d'Orange et une foule des meilleurs chevaliers ; et nous conquerrons toute la contrée, et tu seras baptisée et faite chrétienne. » «Volontiers, » dit la jeune fille, « si tu donnes à tes paroles plus de force par un serment sur ta foi. » Ils parlaient ainsi; mais ils n'étaient pas à la fin, car voilà leurs tribulations qui se renouvellent. Mais comment Élie sortit de tous ces embarras, et comment il revint en France avec Rosamonde, ce n'est pas écrit dans ce livre. L'abbé Robert a traduit, et le roi Hakon, fils du roi Hakon, a fait faire ce livre norvégien pour votre divertissement. Et maintenant que Dieu donne à celui qui traduisit ce livre et l'écrivit, *gratiam* en ce monde, et dans son royaume, *sanctorum gloriam ! Amen* [3] *!*

---

1. *Le texte français et la saga ne concordent plus à partir d'ici.* — 2. *C B D un messager.* — 3. *Ici finit le ms. A.*

Or toute l'armée qui avait suivi le roi Jubien s'en va et retourne dans ses foyers vers Damas ; mais Élie et Rosamonde se tenaient dans la plus haute tour de Sobrie, et prirent la résolution d'expédier Galopin. Demoiselle Rosamonde fait équiper un vaisseau à l'insu de son père ; elle choisit pour cela les amis qu'elle savait lui être fidèles et qui déjà avaient voyagé. Dans une anse cachée, elle fait équiper et bien garnir le vaisseau, et le remplit d'hommes d'élite. Alors Élie écrit une lettre et l'envoie à son cher père et lui raconte ses voyages ; il prie en même temps son père de lui envoyer de nombreux vaisseaux avec des hommes braves et bien armés. En même temps, il envoie à la hâte une lettre à sire Guillaume, à Bernard et à Ernaud, les priant de lui venir en aide, car il se trouve sous une surveillance si sévère qu'il ne peut s'échapper en aucune façon sans leur aide et leur assistance. Galopin part donc sur mer avec son vaisseau, il a un vent favorable ; il arriva en France, tout près du lieu où résidait le duc. Aussi Galopin lui fait au plus tôt une visite, lui apportant la lettre et le message du jeune Élie, et racontant en outre toutes les aventures des voyages d'Élie, depuis le jour où il partit à cheval de la cour de son père, jusqu'au moment « où nous nous sommes séparés, » dit Galopin. Le duc alors se courrouce et s'afflige, et est en même temps content ; content de ce qu'Élie vit, mais affligé et courroucé de ce qu'il est retenu par les païens. La mère d'Élie et [1] sa sœur pleurèrent douloureusement. Toute la suite était affligée ; mais aussi, d'un autre côté, il semblait bon au duc de savoir

---

1. *B D* et sa fille.

où Élie est arrivé. Le duc souhaite la bienvenue à Galopin et à tous ses hommes : il y a alors un riche festin. Galopin est assis à côté du duc; ils boivent gaiement tout le jour et toute la nuit. Galopin raconte toujours ses voyages et ceux d'Élie. Quand le soleil éclaira le monde, le duc se lève avec toute sa suite, et envoie de quatre côtés un ordre de lui, disant que de tous les châteaux qui sont dans tout son domaine, dans le délai d'un demi-mois, tout homme vienne à lui qui peut monter à cheval ou tenir une lance, combattre avec l'épée et briser une brogne; quiconque restera en arrière subira de grandes punitions. Le duc fait venir alors des chevaux richement harnachés : on monte à cheval. Galopin est placé sur une magnifique haquenée. Beaucoup de chevaliers du pays le suivent et tous ses gens avec des épées tranchantes et des heaumes incrustés et des écus ornés d'or; ils avancent alors et ne se reposèrent pas avant de voir apparaître un magnifique château avec de grandes tours et de forts murs. Le maître en est le noble prince Guillaume, le plus renommé des hommes de France par ses qualités courtoises et sa chevalerie. Galopin entre et pénètre jusqu'à la salle de [1] Guillaume; là ils trouvent de nombreux écuyers pour les débarrasser de leurs chevaux et de leurs armes, et pour les bien garder.

Le duc vient à leur rencontre avec toute sa suite, habillée de velours, et invite Galopin à rester là avec tous ses gens aussi longtemps qu'il le voudra. Ils entrent dans la salle, et le duc désigne à Galopin une place auprès de lui. Galopin donne alors la lettre du jeune Élie et la lettre que le duc Julien envoyait à Guillaume; quand il a pris connaissance de la lettre d'Élie, il devient très joyeux et dit qu'il entreprendra volontiers ce voyage. Le duc alors les traite avec grande pompe, au milieu des réjouissances et des plaisirs les plus recherchés. Les uns jouent du psal-

---

1, *B D* du duc Guillaume.

térion et de la lyre, d'autres touchent de l'orgue, quelques uns battent du tambour, d'autres encore soufflent de la trompette; les uns jouent aux tables, d'autres encore aux dés; ensuite on va dormir. Au matin, aussitôt que le soleil réchauffa le monde de ses rayons brillants, le duc se lève avec tous ses hommes, et envoie aussitôt dans tout son royaume un ordre rapide, commandant à tous ses meilleurs hommes de venir à Orange[1] dans le délai d'une semaine et faisant en même temps donner à Bernard et à Ernaud l'ordre de venir le trouver avec des hommes choisis dans le délai qui a été indiqué plus haut. Guillaume fait monter les chevaux et préparer les épées et polir les heaumes. Ainsi se passent sept jours; le huitième arrive à Orange une si grande quantité d'hommes que presque tous les logis furent pleins; Bertrand est venu aussi, ainsi qu'Ernaud à la longue barbe et Bernard le bon chevalier. Il y a alors joie et plaisir d'être ainsi réunis beaucoup ensemble. Tous s'émerveillent surtout de la petite taille qui était échue à Galopin, et comment il tenait courtoisement son petit corps, et en force il ne le cède pas aux hommes les plus robustes. On boit gaiement toute cette journée, mais aussitôt que le matin vient, sire Guillaume fait armer tous les siens, au nombre de dix mille chevaliers. Alors Guillaume part avec sa troupe et ne s'arrête pas avant d'avoir trouvé le bon duc Julien dans son beau château, et devant il y avait une si grande troupe d'hommes qu'on pouvait à peine les compter. Le duc Julien vient au devant de Guillaume avec toute sa suite et toute espèce d'instruments de musique. Ils entrent ainsi dans la salle et boivent du vin, que des écuyers à l'air guerrier leur versent en grande pompe et avec des manières courtoises; il y a alors un beau festin. Galopin dit son message en présence de toute l'assemblée: sire Julien prie tous les hommes qui sont venus là de lui

1. *Mss.* Eingibourg; *et partout ainsi.*

prêter autant que possible leur assistance pour délivrer son fils Élie, qui est, comme on l'a dit auparavant, dans une si pénible situation. Tous ces hommes le plaignent alors beaucoup et disent que tous ils lui prêteront volontiers assistance, jeunes et vieux, riches et pauvres, ceux qui sont le plus haut placés comme les plus modestes. Le duc équipe alors toute son armée de bons chevaux et d'armes excellentes. On peut entendre le hennissement des chevaux et le cliquetis des armes. Arrivent cinq mille chevaliers, que le roi Louis[1], le fils de l'empereur Charlemagne, lui envoie avec leurs brognes et leurs écus incrustés et leurs destriers magnifiques et pleins d'ardeur. Le duc alors sort de son château avec toute la masse de son armée, en imposant cortège; ils sont là trente mille chevaliers et une foule de gens de pied. Le duc chevauche avec toute son armée, ne s'arrêtant pas qu'il ne soit arrivé au port où ses vaisseaux flottent déjà bien équipés et suffisamment approvisionnés. Galopin doit indiquer le chemin par où leur flotte se dirigera, si imposante à voir avec ses braves hommes de guerre. Le duc s'embarque alors, et sire Guillaume et toute cette immense armée avec les habillements les plus beaux et les bannières les plus magnifiques, préparées avec grand art. Ils voguent sur mer et cinglent avec un vent favorable; et ils arrivèrent avec leurs nombreux vaisseaux à Sobrie, un soir, dans un beau port. Ils s'arrêtèrent là et jetèrent l'ancre et prirent des vivres au rivage. Ici le scribe se repose à son aise.

Revenons maintenant à Élie et à Rosamonde, qui étaient dans la plus haute tour de Sobrie, et y ont tenu pendant douze mois de telle sorte que jamais personne n'eut le moyen pendant tout ce temps d'entrer dans leur demeure, comme il a déjà été dit. Le roi Macabré faisait faire bonne garde sur Élie et sur sa fille, et chaque

---

1. *Mss.* Hlödver.

nuit quarante hommes bien armés veillaient autour de cette grosse tour. Caïfas excitait continuellement son père à prendre la tour d'assaut avec beaucoup d'hommes, à tuer Élie et à torturer et tourmenter Rosamonde, sa fille ; il disait qu'Élie avait fait d'elle sa putain. « Ils n'auront pas de cesse avant de vous avoir dépouillé du pays par leurs ruses et leurs artifices, de vous avoir tué vous-même ainsi que tous les hommes vaillants qui sont avec vous. C'est une grande merveille que vous souffriez une si grande honte que celle qu'il y a pour toi à ce que ta fille, dans ta maison, près de toi-même, se déshonore avec un vilain étranger et soit honnie par un homme inconnu! Tu ne peux plus jamais être compté parmi les hommes vaillants, si tu ne te venges pas de cela. » Ce discours de Caïfas est accueilli par une grande approbation, et tous sont de son avis et poussent le roi à donner l'assaut à Élie le lendemain. Le roi est très courroucé des paroles excitantes de ses gens, et dit qu'ils iront le lendemain entreprendre l'assaut, et ne se reposeront pas avant de s'être emparés d'Élie et de Rosamonde et d'avoir abattu la tour. Il y a alors grand tumulte dans la salle, mais avant que ce qui a été décidé par le roi et ses gens arrive, il y aura bien des écus rompus et bien des brognes déchirées, bien des heaumes mis hors d'usage, bien des lances brisées, avant qu'Élie soit prisonnier de Macabré ou de ses gens. Tout ce que nous venons de raconter arriva le soir même où sire Julien le duc et le prince Guillaume abordèrent à terre. Ce soir-là on but joyeusement des deux côtés.

De très bonne heure le lendemain, quand le soleil éclaira de ses rayons toutes les campagnes, le duc Julien et sire Guillaume sont debout avec toute leur armée et envoient huit beaux chevaliers de leur armée pour faire visite au roi Macabré et lui dire que le duc Julien et sire Guillaume de France sont arrivés et se préparent à détruire sa terre et son royaume par le feu et l'épée et à tout dévaster et à tout ravager. Ces hommes [1] s'avancent et entrent dans la salle du roi Macabré. Il était assis à sa table et buvait avec tous ses guerriers. Ils disent leur message avec grande éloquence et manières courtoises. Mais aussitôt que le roi entendit ces nouvelles, il est aussi peiné que courroucé, disant qu'il conviendrait de pendre tous les messagers à l'arbre le plus haut. Ils furent donc heureux de revenir sans avoir perdu la vie et les membres. Le roi prit alors la parole : « Maintenant, il peut arriver que vous, mes champions, vous ayez à combattre contre ces chevaliers nouvellement arrivés ; mais Élie aura paix de nous, pour cette fois, et nous serons contents, s'il ne nous fait pas de mal. On va voir tout de suite si vous êtes aussi braves dans le combat que dans votre excitation en paroles contre Élie ; il peut se faire que vous éprouviez si les Francs savent ou non combattre. Mettez-vous maintenant à l'œuvre comme des hommes braves, et chassons ces malfaiteurs avec courage et obstination ; du reste nous y sommes bien contraints dans l'embarras extrême où nous sommes arrivés. Celui-là donc est couard et lâche qui hésite maintenant, et il ne pourra jamais être compté au nombre des hommes vaillants ! » Le roi termina son discours de telle manière que tous ses hommes étaient frappés de frayeur et de terreur ; les païens devinrent blancs comme de la filasse, de lâcheté et de couardise. Comme le roi finissait son discours, douze hommes entrèrent : ils s'avancent vers le roi Macabré et le saluent : « Le roi Ruben le gros, d'Alexandrie [2], » disent-ils, « est arrivé ici ; il vous envoie saluer. Il est suivi de douze mille chevaliers, et avec son salut vous mande que vous le mariiez à votre fille Rosamonde avec beaucoup de biens. Autrement il a l'intention d'attaquer votre château et de tout dévaster avec la lance et l'épée, et de vous tuer

---

1. *B D ajoutent* : partent et. — 2. *B D ajoutent* : la grande.

vous-même et ensuite de s'emparer de votre fille et en même temps de tout votre royaume. Il est grand et fort et si bon chevalier qu'il n'y a dans tout le monde si bon chevalier qu'il craigne ; il a terrassé vingt rois [1] en combat singulier ; il a douze aunes de long et huit aunes de large ; il est le frère du roi Jubien aux cheveux blancs, que vous avez fait tuer. Le roi Ruben le gros a appris cela, et il est venu ici surtout pour venger son frère. Il a aussi appris qu'aucun de vous n'a osé combattre contre lui et que c'est un étranger qui l'a vaincu en combat singulier. Décidez-vous vite, roi, au sujet des propositions qui vous sont annoncées, et ne vous y attardez pas plus longtemps, car nous dirons à notre roi votre réponse ; et si vous ne voulez pas vous soumettre à ses désirs, vous souffrirez une prompte mort avec honte temporelle et déshonneur éternel ; ainsi que tous vos gens, de sorte que votre honte restera toujours connue, non moins que le renom de la grande victoire que gagna le chevalier Alexandre, et dont on ne pourra trouver la pareille, aussi longtemps que le monde sera habité ! » Quand le roi Macabré entendit ce message, il devint si coi que pendant longtemps il ne répliqua aucune parole ; car il pensait qu'il venait de lui tomber sur les bras un si grand embarras qu'il ne pouvait savoir à quoi se résoudre ; il ne lui semblait [2] pas commode d'être de tous côtés assailli d'ennuis. Le roi parla alors à ses gens : « Vous pouvez voir, hommes vaillants, dans quels grands embarras sont nos affaires. Voici [3] les messagers du roi Ruben [4] le gros, qui ont dit ici ce que vous avez pu entendre. D'autres messagers sont venus aussi de la part du duc Julien de France, qui nous demandent le combat. Conseillez-moi avec soin et intelligence, et dites-moi le plan que nous devons suivre. » Ils lui disent de se résoudre à donner

---

1. *B D ajoutent* : couronnés. — 2. *Lacune dans B.* — 3. *H D* ici arrivés. — 4. *Mss.* Roben, *ici et ailleurs.*

en mariage sa fille Rosamonde au roi Ruben, à condition qu'il combatte le duc Julien et sire Guillaume, qui sont venus pour conquérir la terre et le royaume et ont résolu de le tuer lui-même et d'emmener sa fille par force. Les messagers s'en retournent alors, et trouvent le roi Ruben assis dans sa tente. Alors ils lui disent comment le roi Macabré a répondu à son message, et en même temps que « vous entreprendriez le combat le matin même. » Le roi Ruben se fait amener son bon cheval, nommé Piron; il était rapide à la course comme une hirondelle au vol. Aussitôt quatre rois l'armèrent : l'un d'eux se nommait Maskalbert et son frère Galibert; le troisième Drouin, le quatrième Faliber. Deux des rois ses vassaux qui ont été nommés plus haut lui tinrent ses étriers; les deux autres le mirent en selle; deux de ses chevaliers mirent ses pieds dans l'étrier; puis ils lui remirent sa lance avec son fanion ourlé d'or, travaillé avec beaucoup de finesse. Alors le roi Ruben s'avance avec toute son armée vers Sobrie; et aussitôt qu'il est arrivé là, le roi Macabré vient au-devant de lui avec tous ses gens et s'incline devant le roi Ruben, tandis qu'il prend la bride et conduit son cheval dans la ville; il se remet lui-même en son pouvoir ainsi que sa fille et tout son royaume. Le roi Ruben est réjoui de ces paroles, et dit qu'il accepte tout cela; et qu'en même temps cela lui semble peu de chose de vaincre le duc Julien et tous les Français. « Je voudrais rencontrer ce chevalier étranger qui a tué mon frère Jubien! Et maintenant, roi, soyez joyeux et gai, et ne craignez pas, car la victoire est certaine, et il n'y a personne dans tout le monde que je craigne en combat singulier ou en bataille, » dit le roi Ruben; et il ordonne à tous ses gens de guerre de s'équiper en toute hâte. Le roi Macabré fait sonner les trompettes et rassembler les troupes; il fait revêtir les armures à ses gens et dispose tous ses champions en rangée importante. Le roi Macabré fait alors sortir toute son armée de Sobrie et la lance dans les plaines unies. Là aussi est venu le duc Julien avec sa troupe, qui semblait une flamme à la regarder, à cause de l'or et des pierres précieuses et des magnifiques ornements qui étaient sur les armures. Là aussi est venu le roi Ruben avec toute son armée ; on peut voir alors de nombreux champions à la mine terrible et aux bras robustes, avec de splendides armures défensives et de grands chevaux bien accoutumés au combat.

Alors commence une très dure bataille avec beaucoup de bruit et de cliquetis d'armes. C'est alors qu'on peut voir un assaut animé, quand les Francs attaquent les païens ; ils piquent avec les lances et tranchent avec les épées, rompent les écus et en brisent un grand nombre, démaillent les brognes, endommagent les heaumes ; et les païens tombent sans tête à bas de leurs chevaux. Sire Guillaume est le plus en avant de tous ses hommes ; il frappe autour de lui de tous côtés, aussi bien les hommes que les chevaux, et les païens les uns après les autres tombent sous ses coups. Sire Ernaud le beau et Bernard à la longue barbe, et Bertran en troisième rang ne sont pas à blâmer, car ceux-là n'ont plus besoin de se prémunir de vin ou de provisions pour le festin de Noël, qui sont devant eux ou devant leurs coups : tous ceux qui les affrontent reçoivent la mort au lieu de la vie. Ces quatre champions s'avancent toujours au premier rang et en avant, et ni bouclier, ni brogne ni aucune arme défensive ne peut tenir contre eux. De l'autre côté s'avance le roi Ruben monté sur son bon cheval Piron ; il perce de sa lance en pleine poitrine un redoutable chevalier, traverse la brogne et la poitrine, le renverse mort à terre avec une grande force et excite ses gens à se porter vaillamment en avant. Il brandit alors sa bonne épée, nommée Sarabit, et frappe le chevalier qui s'appelait Fabrin en haut sur le heaume, et lui fend en deux, par le milieu, le front, le corps et la brogne, la selle et le cheval. Alors les païens poussèrent ¹ un grand cri de guerre, et il leur semble que la victoire se décide pour eux. Le roi Ruben chevauche donc en avant au milieu de l'armée des Francs et de son épée il frappe deux hommes à chaque coup, et quelquefois il pique de sa lance et manie les deux à la fois, et frappe et pique ; son cheval se jette sur chaque rang de bataille. Le roi Ruben se porte tantôt contre un rang de bataille et tantôt contre un autre, et renverse les païens l'un après l'autre. D'un autre côté Jossé² attaque avec fureur et renverse bien des hommes de cheval et augmente les pertes des Francs. Malpriant plein d'ardeur se porte en avant et tue de nombreux combattants. Les païens voient alors s'avancer un chevalier plus grand et plus magnifique, plus imposant et plus beau, plus fort et plus brave que tous ceux qui jusque-là étaient venus, à l'exception du roi Ruben, car aucun géant n'était plus fort que lui. Ce chevalier avait un équipement si magnifique qu'il brillait au loin dans la plaine, et il montait un cheval si beau ³ et si rapide qu'il filait aussi vite qu'une flèche d'arbalète décochée avec le plus de vitesse. Ce chevalier s'élance en avant de toutes les lignes des Francs et frappe de sa lance un grand païen en pleine poitrine, de sorte qu'il le ⁴ traverse au milieu entre les deux épaules ; et il l'enlève de selle et le précipite mort à terre. Puis il brandit sa bonne épée et ⁵ en frappe le prince nommé Gaddin et il l'atteint à l'épaule droite et lui abat la main et le côté ; et il tomba mort à terre. De là ce chevalier s'avance au milieu de l'armée païenne, et frappe des deux côtés autour de lui hommes et chevaux, et les renverse les uns sur les autres ; il va toujours en avant de rang en rang. Les païens croient reconnaître alors que ce chevalier est Élie. La bataille est sanglante et animée, tellement que les

---

1. *H D* poussent. — 2. *Mss.* Josias. — 3. *H D* bon. — 4. *H D* traversa ses épaules. — 5. *H D* il.

morts couvrent de vastes plaines ; le sang coule en ruisseaux, les hommes sont renversés, les corps sont recouverts, les chevaux courent en hennissant avec leurs selles; on pouvait là se procurer au plus bas prix les destriers de guerre même les plus richement harnachés. Sire Guillaume et ses quatre compagnons cherchent à rejoindre ce chevalier, et pensent reconnaître Élie. Ils chevauchent alors à travers l'armée des païens et en jettent bas cinq cents en peu de temps ; et l'un était plus fort et plus félon que l'autre.

Le roi Ruben le gros voit alors ce merveilleux chevalier, et il croit savoir que c'est lui qui a tué son frère, le roi Jubien à la barbe blanche, lui aussi qui malgré cela doit avoir en son pouvoir Rosamonde, la fille du roi, la belle jeune fille. Il lui semble très bon de le rencontrer pour venger son frère et pour conquérir sa fiancée. Il crie alors à haute voix et [1] ordonne à ses gens de laisser le champ libre; et cela fut fait. Le roi Ruben chevauche en avant et avec lui les quatre rois qui ont été nommés plus haut. Élie et sire Guillaume voient cela et vont au devant d'eux; les dix héros se rencontrent ; l'attaque est furieuse et le choc violent. Élie a pour adversaire Ruben; Guillaume combat contre Maskalbert; Ernaud contre le roi Galibert; Bernard contre le roi Drouin; Bertran [2] contre le roi Faliber le vieux.

Je veux d'abord parler du combat entre Élie et le roi Ruben. Ils lancent leurs chevaux de toute leur vitesse l'un contre l'autre, et se frappent l'un l'autre de leur lance, et ils se renversent mutuellement de cheval, car tout le harnachement ne leur servit pas plus qu'une feuille verte. Les voilà tous deux à pied, et ils se frappent de leurs épées. Élie frappe le roi Ruben, et coupe son écu en deux jusqu'au bas. Le roi Ruben attaque Élie à coups d'épée et lui entame son écu jusqu'à la poignée. Ils s'assail-

---

1. Fin de la lacune de B. — 2. Mss. Berard.

lent alors l'un l'autre par coups violents et durs ; et tous deux sont blessés. Le roi Ruben frappe Élie et lui fait une profonde blessure. Élie réplique par un autre coup et coupe au roi Ruben toute la chair de la hanche. Le roi fut fort courroucé et frappa sur le haut du heaume d'Élie et sur tous les ornements ; mais il n'endommagea pas le heaume [1]. Le coup était si fort qu'Élie tomba sur les deux genoux. Prinsaut accourut alors et leva ses deux pieds et les posa avec tant de force sur les reins du roi Ruben [2], que le roi Ruben tomba à terre. Élie était debout tout près et il frappa sur le cou [3] de telle façon que la tête tomba. Galopin est tout proche, et il présente à Élie Prinsaut avec une bonne selle. Élie saute sur le cheval et se précipite en avant en excitant ses gens; il cherche les champions du roi Macabré.

Il faut maintenant dire que sire Guillaume a pour adversaire le roi Maskalbert ; il le frappe avec son épée, et le roi Maskalbert tranche le quart de l'écu de Guillaume et lui fait une forte blessure à la cuisse gauche. Guillaume outré de colère frappa le roi païen et enfonça la pointe de son épée dans sa poitrine et le renversa mort à terre. Ernaud frappa de son épée l'écu du roi Galibert [4], et traversa l'écu, la brogne et le corps, et arriva jusqu'au cœur; et il tomba mort à terre. Bernard [5] et le roi Drouin ont entre eux un combat acharné; il se termina par la chute et la mort du roi Drouin. Le roi Faliber voit alors avec grande colère que ses compagnons sont tombés, et il se lance contre Bertran [6], la lance en avant et lui fait une grande blessure. Bertran [7] lui donne un coup en retour et fend le heaume et le crâne, de sorte qu'il s'arrêta aux dents.

Guillaume [8] et ses compagnons s'avancent à travers

---

1. *Lacune dans C.* — 2. *Ici commence le fragment F².* — 3. *F D ajoutent :* du roi Roben. — 4. *Mss.* Falinbert. — 5. *Mss.* Gerart. — 6. *Mss.* Bernart. — 7. *C* Bardiatres. — 8. *C* Josias.

les rangs de bataille, et l'armée tout entière de Ruben s'enfuit. Élie tue partout où il se porte un grand nombre de païens ; il rencontra Jossé et voulut le tuer ; et il frappa avec son épée le heaume du païen, lui fendit le front, la brogne et le tronc, la selle et le cheval, de sorte qu'il resta à terre. De ce coup tous les païens furent terrifiés et remplis de crainte ; ils pâlirent et hésitèrent de couardise. Guillaume s'avance alors contre un païen ; il était très grand de taille et de mauvaise nature ; il lui enfonça la pointe de son épée dans la poitrine et le renversa mort à terre. Sire Ernaud et ses compagnons firent tomber à ce moment six grands païens ; il s'ensuit une telle chute d'hommes que les païens tombent par centaines. Élie alors s'élance contre l'étendard du roi Macabré, et ses quatre compagnons [1] jettent à terre tous les rangs de bataille, qui se tiennent devant l'étendard. Élie alla à celui qui portait l'étendard et le frappa par devant sur la poitrine et le traversa de part en part : ses entrailles sortirent et il tomba ainsi mort de cheval. En ce moment Malpriant bondit au-devant d'Élie et de son épée le frappe sur le heaume ; Élie n'y fit pas attention, mais de son épée l'atteignit au milieu du dos et l'épée entra tout droit, et il tomba mort à terre. Alors le roi Macabré veut fuir, et il se dirige vers Sobrie. Mais Élie galope sur Prinsaut après lui et lui fait sentir les éperons ; il rattrape le roi et le saisit par la pointe du heaume et l'enlève de la selle et il retourne au galop vers ses gens. Galopin vint au-devant de lui et reçut le roi prisonnier : on le conduira aux vaisseaux. Élie s'avance alors au-devant de son père. C'est une bien joyeuse rencontre. Le duc est très réjoui ainsi que sire Guillaume et ses compagnons.

Ils chevauchent pour retourner à la ville avec toute leur armée, et ils attaquent la ville, et là commence

---

1. *F ajoute* : le suivent et ; *D ajoute* : avec lui et.

un rude ¹ combat où tombent de nombreux hommes. Caïfas se tient à la tête de son armée et excite avec ardeur les siens au combat ; il combat maintenant avec sa main gauche ². Élie arrive à détruire les murs de la ville avec sire Guillaume ; et alors les cinq compagnons entrèrent dans la ville et tuent tout, hommes et chevaux. Tous ceux qu'il rencontre, Élie les renverse de cheval : les païens se sauvaient dans les maisons et les logis. Élie aperçoit Caïfas qui s'enfuit à leur approche : il lance au galop Prinsaut et brandit son épée et le frappe sur le heaume. La lance coupa le crâne, la brogne et le tronc juste par le milieu. Après ce beau coup, les païens se mettent au pouvoir d'Élie ; avec toute son armée il se dirige à cheval vers la salle ³ ; ils descendent de leurs chevaux et entrent dans la salle, et ils boivent gais et joyeux. Là étaient le duc Julien et le sire Guillaume, Bertran et Ernaud le beau et Bernard à la longue barbe ; il y a alors gaîté et plaisir, divertissements de ⁴ toutes sortes et grande joie.

Il me faut maintenant parler après de ce qui est arrivé avant, et reprendre au moment où Élie avait quitté demoiselle Rosamonde. Et le combat dont il a parlé plus haut commençait, lorsqu'elle monta sur la plus haute tour de Sobrie pour regarder le combat ⁵ ; et elle vit là tous les incidents de ce combat et comment Élie tua son frère, et cela lui sembla bon. Elle retourne à son appartement ; elle revêtit ⁶ une robe tissée d'or ; ensuite elle se ceignit d'une ceinture ornée avec l'habileté la plus variée ⁷, si belle ⁸ à voir qu'on aurait dit de l'or ⁹ préparé de

---

1. *F D* très rude. — 2. *C* droite. — 3. *F D ajoutent* : du roi Mascabré. — 4. *F D* de beaucoup de sortes. — 5. *F D ajoutent* : et elle vit comment les Francs savaient [*D* bien] combattre. — 6. *F D ajoutent* : tous les [*D* ses] plus beaux atours, d'abord [*mq. dans D*] une chemise de soie blanche, puis. — 7. *F D ajoutent* : si magnifique qu'on n'aurait pu en trouver de meilleure, même en cherchant dans tout l'univers. — 8. *F D ajoutent* : faite. — 9. *F D* de l'or brillant.

diverses manières. Puis elle mit sur elle un manteau : aucun autre plus magnifique ne se pourrait trouver, même si on cherchait par toute la terre. Ce manteau venait du couchant, du pays qui se nomme occident [1]. Quatre fées tissèrent ce manteau avec des fils du meilleur or, et elles y travaillèrent quatre hivers avant de le terminer ; il était fait avec des étoiles et beaucoup de pierres précieuses. Les agrafes du manteau furent achetées au marchand Samarien [2] pour soixante livres d'or pur. Ses cheveux étaient plus beaux que l'or ; sa peau était pareille [3] à de la neige ou plus blanche encore ; et on ne vit jamais dans ce temps-là plus belle jeune fille. Elle entre dans la salle avec trente jeunes filles vêtues de velours, et aussitôt qu'elle fut entrée, elle fit resplendir toute la salle ; elle s'avance devant le dais. Élie se lève devant elle et tous ceux qui étaient là. Élie prend alors Rosamonde et l'asseoit sur son genou ; les jeunes filles jouent des danses et chantent de leurs belles voix. Cependant tous regardent Rosamonde et s'émerveillent de sa beauté. Alors la joie et le plaisir se montrèrent, et tous se réjouirent surtout de la nouvelle joie qui venait de leur être donnée. Rosamonde salua cordialement Julien ; autant en fit sire Guillaume et tous les Francs qui se trouvaient auprès de lui, avec une grande amitié. Élie raconte alors comment Rosamonde l'a aidé et plusieurs fois sauvé de la mort ; il lui dit que pour cela elle doit recevoir de lui ce qu'elle voudrait ; alors elle le choisit lui-même pour bien-aimé, et lui demande pour son père la vie et son royaume avec tous les honneurs. Élie lui accorde sa prière. Il envoie donc chercher le roi Macabré ; Galopin y va avec [4] sa rapidité accoutumée et revient et ramène le roi avec lui. Élie salue le roi amicalement et le place à côté de lui

---

1. *F* occides ; *C* Sides. — 2. *F* Samerion ; *autres mss.* Io n. — 3. *F D* aussi blanche que la neige. *Ici finit le fragment F².* — 4. *Ici finit la lacune de C.*

sous le dais, et lui dit qu'il aura son royaume et son
honneur et qu'il doit en remercier sa fille. Le roi Macabré
en est hautement réjoui. Il y a alors grande joie et grand
jeu, car chacun égaie l'autre. Élie fait alors connaître à
tout le monde qu'il a l'intention de s'en retourner avec
son père, que Rosamonde voyagera avec eux ainsi que
Galopin.

On fait alors les préparatifs du voyage d'Élie à grands
frais, avec de belles provisions et de grandes sommes d'argent. Puis Élie part alors de Sobrie, avec sa nombreuse
troupe. Rosamonde fait partie du cortège avec de nombreuses jeunes filles et une suite princière. Alors Élie monta
sur les vaisseaux avec tous ses gens, emportant de Sobrie
beaucoup de choses de prix, tant en riches étoffes qu'en
pierres précieuses, or et argent travaillé et non travaillé. Élie
vogua sur la mer et eut un vent favorable ; ils arrivent au
port qu'ils avaient en vue. Alors ils descendent de leurs
vaisseaux avec tous leurs gens et entrent dans la salle du
duc Julien. Élie convia chez lui sire Guillaume et tous
ses compagnons de route avec [1] la plus grande pompe
et courtoisie. La mère d'Élie est très réjouie ainsi que sa
sœur et tout le peuple ; elles sortent du château avec les
jeunes et les vieux ; ils se rencontrent tout près du château ; la rencontre est très joyeuse entre Élie et sa mère et
sa sœur et tous ses parents et amis. La mère d'Élie et
sa fille accueillent demoiselle Rosamonde avec toute
joie ; et ils entrent à cheval dans le château avec grande
pompe, et toutes sortes d'instruments de musique furent
portés au-devant d'eux ; prêtres et clercs s'avancent en
magnifique procession avec de doux chants. Élie et le duc

---

1. *D* à un festin magnifique. Sire Guillaume accepte;
Élie envoie chez lui de nombreux et magnifiques chevaliers pour
annoncer son arrivée, demandant en même temps qu'un festin soit
préparé avec tout ce qu'il y a de mieux et priant tous ses gens de
v nir au-devant de sa suite avec.

Julien et sire Guillaume sont conduits de la sorte à l'église avec grande joie. De là ils sont menés à la salle et placés sur l'estrade. Pour le premier jour, Rosamonde resta dans une autre maison avec ses jeunes filles; le second jour eut lieu le baptême et tout le service divin pour elle et pour toutes ses demoiselles et les hommes de sa suite. Après que le service divin et que la cérémonie dont il a été parlé furent achevés, la fille du roi fut conduite à la salle principale avec grande pompe; il y avait dans le cortège la mère d'Élie et aussi la demoiselle Orable[1], sa sœur, et un grand nombre de dames en cortège magnifique : on toucha alors de l'orgue et on joua de la lyre et de la cithare et des fifres avec une douce harmonie. La troupe entre dans la salle, qui était richement décorée; demoiselle Rosamonde était à la plus haute place, avec une robe si magnifique et si précieuse qu'aucun roi n'est assez riche pour pouvoir acquérir sa robe à prix d'argent. Aussitôt qu'elle fut arrivée à sa place, les gens ne firent attention à rien autre qu'à regarder son beau visage et le riche vêtement qu'elle portait, car le manteau qui était placé sur son corps brillant semblait à la vue être de flammes, à cause de l'escarboucle qui était placée dessus à côté de beaucoup d'autres pierres précieuses. Il y a alors joie et jeu; tous ceux qui le peuvent viennent contempler Rosamonde, et personne ne songeait à boire, car personne ne croyait avoir jamais vu une plus belle jeune fille : ses joues étaient comme si la rose rouge s'était unie au lis blanc. On festoya durant trois nuits. Élie dit alors que le festin doit être encore plus somptueux.« J'ai l'intention, » dit Élie, « de faire mes noces, et personne de ceux qui sont maintenant ici ne s'en ira; quiconque s'approchera ne manquera pas d'être invité, jeune ou vieux, riche ou pauvre. »

Élie envoie mander ses parents et ses amis qui n'é-

---

1. *Mss.* Osseble.

taient pas déjà là. Le festin alors est encore plus magnifique, abondant et copieux. Sire Guillaume se lève alors et demande Orable [1], la sœur d'Élie, pour son fils, l'écuyer Gérard. Le duc prend bien la chose, et [2] le jeune Élie ne désire que de voir marier la demoiselle. Cela est résolu sur le conseil des meilleurs hommes; elle est la plus belle et la plus courtoise des jeunes filles. Le seigneur Guillaume envoya alors chez lui à Orange ses gens porteurs d'une lettre et d'un message pour l'écuyer Gérard. Celui-ci s'équipa en grande pompe et courtoisement avec tous ses gens; et ils partent en grand appareil et avec de nombreux instruments de musique. Ils ne s'arrêtèrent pas qu'ils ne fussent arrivés au château de Saint-Gilles. Guillaume et tout le peuple vont au-devant d'eux avec de nombreuses marques d'honneur et des instruments de musique; et le festin eut lieu, bien et suffisamment copieux.

Le jour est maintenant venu que tous ces jeunes gens doivent être unis. Élie est conduit à l'église par son cher père et sire Guillaume; Bernard et Ernaud accompagnent Gérard. On place des sièges décorés d'or et d'argent pur. On peut y voir une si belle assemblée, qu'une pareille masse de gens peut à peine être comptée. Au milieu de cette foule, les deux demoiselles étaient conduites par de nobles dames. Quatre hommes portaient, au-dessus de la tête des demoiselles, des tapis soutenus par des bâtons; suivent toutes les sortes d'instruments qu'on peut jouer. Elles entrent alors dans l'église et s'asseoient sur de riches sièges; l'archevêque lui-même lit la messe et chante avec de nobles clercs; les jeunes gens sont unis en gracieuse cérémonie. Élie offre alors à Dieu sa bonne épée, et la rachète pour trente marcs d'or. Le duc Julien donne ensuite à son fils tout son domaine avec les bourgs et les villes et toutes

---

1. *B D* la fille du duc. — 2. *B D* mais.

ses richesses ; en même temps, il lui donne le nom de duc. Rosamonde est placée alors par la mère d'Élie sur le siège le plus élevé : c'est maintenant Élie qui doit gouverner le royaume avec sa femme Rosamonde. Les gens s'en vont alors boire aux tables, et on boit gaiement et joyeusement. Un demi-mois se passe ainsi jusqu'au dernier jour. Sire Élie distribue de grands présents [1] tout d'abord à l'archevêque et à tous les clercs, puis à sire Guillaume, à Bertran, Ernaud et Bernard, en les remerciant de leur escorte par de courtoises paroles. Il fait, en outre, à Gérard, son beau-frère, de précieux présents et donne à sa sœur de nombreux châteaux avec grandes dépendances. Alors la fête est terminée ; tous honorent par leurs paroles Élie et Rosamonde, sa femme. Le duc retourne chez lui, de même sire Gérard avec sa femme ; ils gouvernent leur domaine et ont beaucoup d'héritiers.

Sire Élie demeure en grand honneur dans sa terre avec sa femme. Galopin est bien traité par Élie, qui lui donna une femme, venue là avec Rosamonde ; il y eut alors grande fête. [Il lui donna] de plus un château avec riches dépendances et le titre de comte. Après cette fête, Galopin retourne chez lui avec sa femme ; il devient un homme très considéré. Il a deux fils, deux beaux hommes. Sire Élie et dame Rosamonde ont de nombreux enfants, trois fils et beaucoup de filles ; l'un des fils s'appelle Julien, les deux autres ne sont pas nommés ; Julien ressemble beaucoup à son père. Élie avec sa femme Rosamonde gouverne son domaine jusqu'à la vieillesse. Leur[2] dernier jour est bon, et ils terminent leur vie de la bonne manière. Ensuite leurs fils reprirent leurs possessions et furent tous des princes accomplis. Et maintenant cette saga est arrivée à sa fin ; fasse Marie que nous nous

---

1. *A partir d'ici le texte est illisible dans C.* — 2. *Ici finit le fragment H.*

tournions vers Dieu, en sorte que nous vivions dans l'éternité avec Dieu sans fin !

FIN DE LA SAGA

GLOSSAIRE

GLOSSAIRE

*Pour les mots qui ne se trouvent pas ici, voyez le Glossaire de l'édition d'*Aiol.

A

Abarges 1640, *etc. (pour herberges), postes militaires.*

Abresce 1289, *verger?*

Acliner, *act.* 911, *saluer en s'inclinant.*

Acovrir 1444, *couvrir.*

Aficier 1003, *mettre avec force.*

Afiner 2381, *venir à bout.*

Aguissié 622, *aiguisé.*

Aïrous 647, *etc., plein de colère.*

Aissement 524, *place, commodité.*

Alenti 708, *ralenti.*

Aler; *subj. imp.* alison 581. *Voy.* Va.

Aloe 687, *etc., prim. d'alouctte.*

Amanevi 1207, *adroit.*

Amirel 1654, [*forme d'*]*amiral.*

Angarde 274, 344, *etc., colline, pente.*

Angevine 898, 937; *voy.* Nesple.

Anonsion 1373, *annonciation [de la Vierge].*

Antis 672, *etc., ancien.*

Apresser 394, *être près;* 1420, 1444, *presser, tourmenter.*

Arche 55, *voûte, et par ext. crypte :* l'apostle que on requiert en l'arche, *Saint Jacques de Compostelle?*

Asmoine 2697, *aumône.*

Averse, la gent — 2333, *les ennemis.*

Avillier 1550, *avilir.*

B

Bacin 2482.

Barbacane 1318, *ouvrage extérieur de fortification.*

Baronie 3, *haute valeur, chevalerie.*

Baulier 890, *s'élancer.*

Beffe 2063, *paroles trompeuses.*

Beubanche 1819, *orgueil.*

Behorder 127, *jouter avec des bâtons.*

Bisse 930, *biche.*

Boche 806, *bosse.*

Boine le nous a faite 2064, *il nous a fait un bon tour.*

Bot 2640, *crapaud.*

Boucel 1060, *outre à vin.*

Boutellas 2197 *(forme voulue par l'assonance), boutellier.*

Bouton 519, *voy.* Nesple.

Brace, sa — 1715, *ses bras.*

Bresteke 2460, 2545, *palissade défendant une ouverture de fortification.*

Bricon, *voy.* Bris.

Bris 248, 514, 1380, *fou.*

Bu 742, 762, *tronc du corps.*

C

Cabetenc 1700, *étoffe précieuse. (Le mot turc* caftân, *fr.* cafetan, auquel semble se rattacher cabetenc, *signifie robe d'honneur; on peut supposer que l'on a pris le nom de la robe pour l'étoffe avec laquelle elle est faite).*

Caele, *excl. affirm.* 2262. *Voy. aussi dans* Aiol.

Çaingler 2013, *sangler.*

Campel, estor — 94, 710, 1583, etc., *bataille rangée [par opposition à la joute ou combat singulier].*

Canas 2313, 2316, *barques (*canas *est mis ici à la place de* canars*).*

Canel 1928, *rigole.*

Caple, maintenir le — 225, *entretenir le combat.*

Carnable 425, *charnel, parent par le sang.*

Chevalerie, *au plur.* 132, *prouesses de chevalier.*

Chierere, *fém.* 1936, *flambeau.*

Cingler, *voy.* Singler.

Cisne 1058, *cygne.*

Coitos 1173, *rapide;* cointos 496.

Commant 285, *ordre.*

Communable, estre — 369, *partager en commun.*

Communal, estor —2205, *mêlée.*

Conble 754, *partie supérieure [du bouclier].*

Confait 45, *de quelle nature.*

Confesse 331, 1425, *confession (au sens relig.).*

Confort 473, *solidité.*

Conroi 1315, *soin, souci.*

Consienche 1796, *pensée, désir.*

Consuivre, *atteindre;* subj. imp. consuiest 2032 ; conseüst 2276.

Contenant 1305, *contenance.*

Contrais, *nom. sing.* 995, *paralysé.*

Contrester 1802, *disputer;* 2350, *résister.*

Convenance 1492, *convention;* convenant 1584; covenant 2093.

Converser 92, 2467, *vivre, habiter.*

Corgies 594, *étrivières.*

Coudre 459, *(en parlant d'une lance) appliquer.*

Coupé 1894, *épithète du pied du cheval.*

Coureor, *épith. de cheval,* 1123, *bon à la course.*

Couveitable 1717, *désirable.*

Covertoir 1444, *couverture.*

Covoitous 1697, *désirable, de prix.*

Covranche 1782, *secret.*

Creable 428, *croyant.*

Crestelé, a plonc — 2549, *dont les créneaux sont en plomb.*

Crois del cief 1153, *sommet de la tête.*

Croissir 897, *faire grincer, ébrécher.*

Cuingnie 583, *cognée.*

Cuit, marc d'or — pesé 1105.

D

Dansele 2336, *demoiselle.*

Defiler 540, *couler en filet.*

Delivre, a — 24, 128, 131, *etc.,* à l'aise.

Demor, sans — 1353, *sans retard.*

Demoranche 1830, *etc., retard.*

Desclaver 1038, *déclouer.*

Desclore 483, *ouvrir.*

Deserte 602, *salaire.*

Deslaier 681, *retarder.*

Deslicier 135, *démailler, propr. rompre les fils entrelacés qui composaient les mailles de haubert.*

Desmesuré 801, *sans raison.*

Destendre, *neutr.* 570, *se détendre,* [en parlant d'une flèche] *être lancee.*

Destorber 2603, *jeter le trouble parmi.*

Destriés *(forme orthographique de destriers),* 596.

Detraire 1642, *tirer (sur sa chaîne?).*

Deugié 1893, *etc., fin, délicat.*

Deveer, *refuser;* 3º *pers. ind. prés.* device 1545.

Disme 258, *dixième.*

E

Enbronc, adj. 2335, *la tête basse.*

Encensier 1707, *encensoir.*

Enclin, adj. 2335, *affaissé.*

Encortiner 910, *entourer de rideaux.*

Encusser 1617, *accuser.*

Enflé 109, *orgueilleux.*

Enforcié, d'avoir — 1138, *très riche.*

Engreser 1981, *tourmenter, presser.*

Enpené 2562, *portant plumes.*

Enpire 27, *réunion de vassaux.*

Enpointe 21, *coup de pointe* [*opposé à l'action de brandir*].

Enqui 701, *là.*

Ensoigne 303, *peine, embarras.*

Entaillier 1927, *creuser;* 2045, *incruster.*

Entendre; *ind. parf.* entendié 1942; *subj. imp.* entendiest 1917.

Enverser 106, *tomber à la renverse.*

Erbous, *voy.* Herbous.

Escange, metre — 1933, *avoir en échange.*

Escarboncle 989, *escarboucle.*

Escas 1975, *échecs.*

Escondire 151, *refuser.*

Eskiec 262, 521, *butin de guerre.*

Eslicier 544, *se défiler. Cf.* Deslicier.

Esmal 1467, *émail.*

Esmal 1971, *estimation.*

Esmeril 687, 2155, *sorte de faucon. Voy.* Littré, Émerillon 1.

Esmier 543, *mettre en pièces* [*mot-à-mot en miettes*].

Espie 807, etc., *espion.*

Espondele 1443, *bord du lit.*

Esrant 299, etc., *sur-le-champ.*

Esrour 1383, *mouvement, agitation.*

Essordre 2297, *sortir, surgir.*

Estachier 1941, *attacher.*

Estre 252, *outre, sans compter.*

Estres, *plur. fém.* 1858, *lieux, êtres.*

Esvoler, s' — 2325, *prendre son vol.*

Euriel 1368, *loriot (lat. aureolus).*

Eve 1855, *eau.*

F

Falie, cose — 926, *chose de rien.*

Fauçart 675, *arme en forme de faux. Voy.* Du Cange, Falcastrum 2.

Ferande, barbe — 1490, etc., *barbe grisonnante.*

Fermeté (*même mot que Ferté*), 2704, *citadelle.*

Festu 789, *voy.* Nesple.

Feutré 1925, *garni de feutre.*

Fil, le grant — 1194, *le grand courant, la mer.*

Flanbe 2140, *flamme.*

Flatir, *neut.* 229, *se ramasser en fuyant.*

Flor 2443, *farine blutée.*

Flori 542, *etc., peint à fleurs* [en parlant d'un bouclier].

Fondre 1725, *foudre.* Cf. *aussi pour cette forme* Sainte-Palaye, VI, 255.

Fons, en sains — lever 2392, *purifier aux saintes sources, baptiser.*

Freté 54, 155, *château-fort.*

Friente 1384, *bruit des chevaux.*

Froncie, pel — 1735, *peau ridée.*

G

Gaimenter, se — 2367, *se lamenter.*

Gaïngerie 1290, *pâturages.*

Galasien 1667, etc., *de Galatie.*

Gangart 109, *épithète injurieuse.*

Garche 1545 (*semble déjà avoir dans ce vers le sens dépréciatif du mot actuel garce*).

Gascon, *épith. de cheval,* 504.

Gaverlot 1970, *javelot.*

Gentement 1693, *noblement.*

Geteïs 1469, *fondu, coulé.* Cf. Tresjeté.

Giet 2326, *liens pour retenir les pieds des faucons.*

Gones 1119, *jupe d'un manteau? mais il faut sans doute corriger* goles, *qui paraît signifier la bordure d'une fourrure* (cf. Engoulé, *dans* Aiol).

Graille 2523, *trompette.*

Graille (*pour* graïlle) 1985, 1990, *grille.*

Grans sire 1086, *grand-père.*

Gués 541, *gué.*

Guicet 802, *etc., petite porte.*

Guienage 60, 422, *escorte;* guionage 260.

H

Hautal 1481, *élevé.*

Herberges, *voy.* Abarges.

Herbergerie 889, *auberge.*

Herbous : 1° *adj.* 501, *rempli d'herbe;* 2° *subst.* 584, *etc., gazon.*

Hicier 1591, *exciter en sifflant.*

I

Igués 1704, *égaux.*

Iqui 307, *ici.*

J

Joianche 1820, *joie (mais c'est plutôt une faute pour* joiante).

Jor, *pris adv.* 178, *en aucun jour.*

Jougler 1674, *jongleur.*

Juisemant, le grant — 289, *le jugement dernier.*

Justichier 993, *maltraiter* ; 1150, *dompter.*

L

Laissor 461, *faculté, liberté.*

Lasnete 1695, *lanière.*

Limon 1665, *support [d'un lit].*

Loanche 1829, *louange.*

Loier 1034, 1265, *récompense.*

Lonc 75, *en rapport avec, selon.*

Lor 475, *lorier.*

M

Machoner 2432, *travailler à démolir.*

Manaide 1757, *grâce, merci.*

Mangons 505, 1171, *sorte de monnaie. Voy.* Du Cange, Mancusa.

Marberin 164, *etc., de marbre.*

Mat 1987, *vaincu.*

Matinet, *dimin. de* matin, 1045.

Mel 1777 *(forme de* mal), *méchant.*

Menbru 842, 870, *fort de corps.*

Menestrel 2753.

Menuement 1673, *à coups menus.*

Mescoisir 2186, *voir de travers.*

Mesple, *voy.* Nesple.

Moleste 1433, *ennui.*

Montenier, *montagnard, épith. de cheval ;* hermin — 1891, *des montagnes de l'Arménie.*

N

Naïe 386, 1413, *négation de la 1re personne, non pas moi.*

Naturel 316, 719, *par naissance.*

Nesple 335, etc., *néfle ;* mesple 398. *(A ajouter, ainsi que les mots* Angevine, Bouton *et* Festu, *à la liste des mots cités dans le gloss. d'Aiol au mot* Paresis, *avec le sens de peu de chose).*

Ningromance, art de — 1665, *enchantements.*

Nis 179, *pas même.*

No, a — 1857, *à la nage.*

Noer, se — 969 ; noier 1643, *nager.*

O

Oïe 928, 963, *etc., oreille.*

Orains 191, *tout-à-l'heure.*

Orille 933, etc., *oreille.*

Ostelerie, grant — 9, *grands hospices.*

Otriage 1721, *octroi, don.*

Ourler 1700, *border.*

P

Paier, se — 1748, *se réconcilier.*

Parçonnier 1554, *co-partageant.*

Parenté, masc. 2121, etc., *famille.*

Parovré 1699, *parachevé.*

Perche, plaine — 2109 [*à la distance d'une*] *perche (mesure de longueur) tout entière.*

Pessanche 1817, etc., *ennui.*

Planciet 2417, *étage.*

Planoier 1993, *caresser.*

Pleve 650, *pluie; il vaut mieux lire* pleue.

Poing au pl. 463, *les deux côtés par lesquels on empoigne l'épée.*

Poitrier 1926, *poitrail.*

Prison 314, etc., *prisonnier.*

Privé 432, *intimement connu (iron.).*

Puiment 2442, *boisson mêlée de miel et d'épices.*

Q

Quasse, adj. verb. fém. de casser, 352.

R

Raine 348, *grenouille.*

Randoner 488, etc., *courir rapidement.*

Rasoté 1590, *hébété par l'âge.*

Ravineus 2255, *plein d'élan.*

Regart, se doner — 1958, *se méfier.*

Regeter des piés 2027, *ruer.*

Regort 718, *anse, petite baie.*

Removoir 1922, *remuer.*

Resavoir 1848.

Roellis 1197, *palissade.*

Rote 1674, *instrument de musique à cordes.*

S

Safré 1063, etc., *épithète du haubert.*

Saïns, voy. Samis.

Samis 576, *faute du manuscrit pour* saïns, *liens.*

Sear 1956, *ce mot ne peut être l'infinitif* seoir *qui n'assonne pas en* a; *le sens demande pourtant* seoir, *mais on ne sait comment expliquer la forme.*

Semonse, faire — 208, *faire ap-*

pel à ses vassaux en cas de guerre.

Senestrier 634, *etc., gauche.*

Siglaton 1872, *étoffe de laine et de soie.* Voy. Du Cange, Cyclas.

Singler 2485, 2543, *naviguer.*

Soffraitous 590, *dépourvu.*

Soier 1508, *couper.*

Sorbrandir 21, *brandir par-dessus.*

Sorporter 2111, *ébranler en portant.*

Sors, *part. de* sourdre, 582; sours 645.

Sorveoir 392, *regarder.*

Souder 1449, *mêler? ou dissoudre?*

T

Temples 2180, *tempes.*

Tenir; en tient a vous noiant? 298, *cela vous intéresse-t-il en rien?*

Tenror 605, *tendresse.*

Tollir le cours 643, *rattraper à la course, couper la retraite.*

Tornant 269, *agile, dispos.*

Touset 1732, *tout jeune homme.*

Trellie, bronge — 914, *cuirasse à mailles.*

Tresjent 1891, *de noble espèce.*

Tresjeté 1634, *fondu, coulé.*

Trespensé 1709, *préoccupé, pensif.*

Tressaillir *(avec un rég. direct)* 57, *sauter par-dessus.*

Trestorner 131, 500, *faire un tour à cheval pour s'éloigner du but et y revenir avec plus de force;* ja nen ert trestorné 2145, *rien ne l'empêchera.*

V

Va, *imp. d'*aler, *employé comme terme d'encouragement*, 384.

Vair, *épith. de cheval*, 661, *de plusieurs couleurs.*

Vairet d'Espagne, *épith. de cheval*, 1622, *etc.,* [*cheval*] *d'Espagne de diverses couleurs.*

Vasaument 1309, *en bon chevalier.*

Ventaille 2101, *coiffe de mailles.*

Venteler 2104, *etc., flotter au vent.*

Verable 440, *véritable.*

Verminer 1737, *être véreux* [*en parlant d'un fruit*].

Verser 2352, *etc., renverser.*

Vïele 1674, *sorte de violon.*

Vieuté, tenir en — 2025, 2656, *mépriser.*

Vieutre 1642, *lévrier.*

Viseus 1852, *habile, avisé.*

Vitaille 1102, *victuaille.*

INDEX DES NOMS PROPRES

DE PERSONNES ET DE LIEUX

INDEX

DES NOMS PROPRES DE PERSONNES ET DE LIEUX

Les chiffres qui se rapportent aux vers du poème français sont précédés des lettres fr.; *ceux qui indiquent les pages de la saga ont la mention* sag. p.

A

ABILANDE, fr. 1489. Cf. Scheler, *Le bast. de Buill.*, p. 321. — Voy. MORIN.

ABILANT, fr. 1488. — Voy. ABILANDE et CLAMADOR.

AFRIQUE, sag. p. 126.

AGAMER (le comte), *chevalier de* JULIEN DE SAINT-GILLES, sag. p. 101; *le même sans doute qu'*AGAMER DE LESAM, sag. p. 101. — Voy. AGAMOR.

AGAMOR, *chevalier de* SAINT-GILLES, sag. p. 138; *c'est peut-être le même qu'*AGAMER.

AIMART, *le même qu'*AIMER *pour l'assonance,* fr. 1476, sag. p. 138.

AIMER (le comte), *chevalier de* SAINT-GILLES, fr. 66, 167, 2496, *etc.*, sag. p. 101. — Voy. AIMART.

AIMERI DE NERBONE, *père de* GUILLAUME D'ORANGE *et aïeul d'*ELIE, *dans la geste de Monglane,* fr. 848, 868, *etc.*

AITROPÉ, *roi de* BARBASTRE, fr. 255. — *Aux vers 468 et 471, la correction est à supprimer.* — Voy. SALATRÉ.

ALEXANDRIE (Égypte), sag. p. 118. — Voy. ALIXANDRE, JOSSÉ, RUBEN *et* TANABRÉ.

ALIXANDRE, fr. 1295, Alexandrie en Égypte. — Voy. ALEXANDRIE et JOSSÉ.

ALMARIE, sag. p. 126, Almeria en Espagne.— Voy. AUMARIE.

AMAURI (le comte), *oncle de Julien de Saint-Gilles*, fr. 198, sag. p. 102.

ANGERS, sag. p. 103. — Voy. ANGIERS.

ANGIERS, fr. 229, Angers. — Voy. ANGERS.

ANJOU, sag. p. 103.

ANSEÏS DE CARTAGE (*allusion au roman d'*), fr. 67.

ANSEUNE. Voy. GARIN.

APOLIN, fr. 441, etc., Apollon (*considéré comme une divinité des Sarrasins*). — Voy. APOLLON.

APOLLON, sag. p. 117. — Voy. APOLIN.

ARABE, fr. 276, Arabie.

ARABI, fr. 218, Sarrasins.

ARAGON, *adj.*, fr. 1826, 2060, etc., d'Aragon.

ARDANE, fr. 1181, 2511, etc.; *ce nom de lieu qui, dans l'esprit du remanieur, s'applique certainement aux* Ardennes *du nord-est de la France, est la patrie de* TIERI, *père de* GALOPIN, *célèbre dans plusieurs chansons de geste*.

ARDENOIS, fr. 2551, des Ardennes. — Voy. ARDANE.

ARLE, fr. 2205, Arles, sag. p. 121.

ARTUR DE BRETAGNE (le roi), sag. p. 117. — Voy. ARTUS.

ARTUS DE BRETAIGNE (le roi), fr. 654. — Voy. ARTUR.

ATAIGNANT DE SORBRIE, *fils de* MACABRÉ, fr. 688, 1300; *appelé au v.* 1427 ATAIGNANT D'OLIFERNE.

AUBERI, *chevalier de* SAINT-GILLES, sag. p. 101.

AUMARIE, fr. 923, Almeria en Espagne. — Voy. ALMARIE.

AUVERGNE, fr. 210 (*la sag. donne* ANJOU *à la place d'*AUVERGNE, p. 103).

AVISSE, *sœur de* LOEYS, *épouse* ELIE, fr. 2703; Avise, fr. 2748.

AYMER, voy. AIMER.

AYMERI, voy. AIMERI.

AYOUL, fr. 2760, Aiol (*le fils d'*ELIE); Ayous, fr. 2757.

B

BALIGANT, *païen*, fr. 1007. — Voy. MALGANT.

BARBASTRE, fr. 255, Barbastro (Espagne). (*Une branche de la geste de Guillaume au court nez porte le nom de* Siège de Barbastre).

BASIN, *célèbre voleur qui a donné son nom à un roman perdu*, fr. 1980. Cf. G. Paris, *Hist. poét. de Charl.*, p. 315-322.

BAUDAS, fr. 667, 886, etc., sag. p. 139, etc., *Bagdad*. — Voy. LUBIEN, LUCHIBUS et TRUANT.

BEGIBUS, *nom de démon*, fr. 2357.

BEHORGES, fr. 2705, Bourges.

BERAUT DE VALODRU, *païen*, fr. 2075.

BERHART, *chevalier de* SAINT-GILLES, sag. p. 138.

BERNARD, voy. BERNART.

BERNART, *chevalier de* SAINT-GILLES, sag. p. 138.

BERNART DE BRUSBANT, *frère de* GUILLAUME D'ORANGE, fr. 224, 265, 319, *etc.*, sag. p. 103, 105, 115, etc.

BERRART, *frère de* GALOPIN, fr. 1182.

BERRI (le), fr. 210, sag. p. 103.

BERTRAN, *fils de* BERNART DE BRUSBANT *et neveu de* GUILLAUME D'ORANGE, fr. 223, 264, *etc.*, sag. p. 103, 104, *etc.*

BERUIER, fr. 2623, du Berri.

BEVON DE COMMARCHIS, fr. 2497, Beuve de Comarchis, *frère de* GUILLAUME D'ORANGE; Beves de C., fr. 2514 ; Bueves de C., fr. 2531.

BIAULANDE, fr. 18, Beaulande, *peut-être* Nice? Cf. G. Paris, *Hist. poét. de Charl.*, p. 80 (en note).

BITERNE, fr. 1402, 1872, sag. p. 152. *Cette ville, renommée pour ses étoffes de soie, semble être en Égypte, puisque* PHARAON *en est roi.*

BLAIVES, fr. 424, Blèves (Sarthe); *peut-être le même que* BLAYE.

BLAYE (Gironde), sag. p. 95.

BORGENGON, fr. 2622, Bourguignon.

BRABANT, voy. BRUSBANT.

BRANDIS, fr. 2487, 2540, Brindisi.

BRANDONE, *païen*, fr. 562.

BREHAIGNE, fr. 1488; *il faut sans doute lire* BEHAIGNE, Bohème.

BRETAGNE, sag. p. 103. — Voy. BRETAIGNE.

BRETAIGNE, fr. 211, 654, Bretagne. — Voy. BRETAGNE.

BREUBANT, BRUBANT, voy. BRUSBANT.

BRUSBANT (*seule forme régulière*). — Voy. BERNART.

C

CAÏFAS, *fils de* MACABRÉ, fr. 1512, 1526, *etc.*, sag. p. 140, 142, *etc.*

CALABRE, voy. RODOANT.

CASTELE, fr. 2103, Castille.

CHARLE, fr. 50, Charlemagne ; Karles, fr. 1982. — Voy. CHARLEMAGNE.

CHARLEMAGNE, sag. p. 95, 165. — Voy. CHARLE.

CHARTES, fr. 48, Chartres. — Voy. CHARTRES.

CHARTRES, fr. 61, sag. p. 96. — Voy. CHARTES.

CLAMADOR, *roi païen d'*ABILANT, fr. 1488.

CLIN, voy. ROCHE DE CLIN.

CODROÉ, *roi païen*, fr. 1026, 1036. *Ce personnage semble être mis en lieu et place de* BALIGANT. *Cf.* l'*Introduction*, chap. VI.

COMMARCHIS, voy. BEVON.

CORSAUT DE TABARIE, *roi païen*, fr. 330, 343, sag. p. 104, 107. *Ce personnage, tué au v. fr. 341, reparaît au v.* 2428. Cf. l'*Introduction*, chap. VI.

CORSUS, voy. CORSAUT.

COSTANTIN MACART, fr. 2311 *(allusion?).*

D

DALBIER (le gué de), sag. p. 128.

DAMAS, *capitale du royaume de* JUBIEN, *roi de* BAUDAS, sag. p. 156, 162.

DARBES, *château fort de* JULIEN, sag. p. 99.

DENISE (saint), fr. 2621, saint Denis, *patron de la France.*

DROUIN, *roi païen, vassal de* RUBEN, sag. p. 169, 172, 173.

E

ÉCOSSE, sag. p. 126.

ECTOR, voy. HECTOR.

ENGLETERRE, fr. 1428, Angleterre.

ERNAUD, voy. HERNAUT.

ESCLABONIE, *fille de* LUBIEN, fr. 2200.

ESCLERS, fr. 1040, 2358, *etc.*, Slaves, *puis par ext.* païens.

ESPAIGNE, fr. 49, *etc.* Espagne.

F

FABRIN : 1° *dieu païen*, sag. p. 160; — 2° *chevalier chrétien*, sag. p. 170.

FALIBER, *roi païen, vassal de* RUBEN, sag. p. 169, 172, 173.

FARAON, voy. FERAON.

FEMENIE, fr. 887, anc. Philomelium, *désert de l'Asie-Mineure, pays prétendu des Amazones.* Cf. Riant, *Expéd. et pèler. des Scandin.*, p. 147, note 4.

FERAON, fr. 2310, sag. p. 158, Pharaon. — Voy. PHARAON.

FLAMENC, fr. 2623, Flamands.

FRANCE, Franche, fr. 201, 590, 640, 1084, *etc.*, sag. p. 93, *etc.*

FRANÇOIS, fr. 2622, Français.

G

GADDIN, *prince païen*, sag. p. 171.

GAFER le fort, sag. p. 117.

GAIANT (la tere al), fr. 562, *Babylonie?* Cf. Guill. de Tyr, dans les Hist. des Crois., t. II, p. 536.

GAIDONET, *païen*, fr. 350 *(doit sans doute être assimilé a* GRANDUSE D'ORCLE).

GALIBERT, *roi païen, vassal de* RUBEN *et frère de* MASKALBERT, sag. p. 169, 172, 173.

GALOPIN, *larron, puis écuyer d'*ELIE, fr. 1162, 1166, *etc.*, sag. p. 131, 132, *etc.*

GAMART, *chevalier de* SAINT-GILLES, sag. p. 138.

GAMBON, *païen*, fr. 256.

GARIN, fr. 1980, Guérin *(conspirateur découvert par* BASIN). — Voy. BASIN.

GARIN D'ANSEUNE, *frère de* GUILLAUME D'ORANGE, fr. 2496, 2532.

GARIN DE PIEREPLATE, Guérin, *prétendant à la main d'*ORABLE, fr. 41, sag. p. 94.

GARLANT, *roi païen*, fr. 2237.

GARNIMAS (les puis de) fr. 1979, *(montagnes citées sans doute dans le roman de* BASIN).

GAUTIER : 1° fr. 1207 *(le même que* GONTIER); — 2° *chevalier chrétien*, fr. 1475.

GAVAIN, fr. 654, Gauvain, *le héros connu de la Table Ronde*.

GÉRARD, *fils de* GUILLAUME D'ORANGE, sag. p. 179, 180.

GERARDOT LE ROUX, *chevalier de* SAINT-GILLES, fr. 168. — Voy. GERART.

GERART, *chevalier chrétien*, fr. 763, 1475 *(peut-être le même que* GERARDOT LE ROUS).

• GIGANT DE VALTERNE, *roi païen*, sag. p. 151.

GILLIMER DE CORIN, *chevalier de* SAINT-GILLES, sag. p. 101.

GODEFROI, *sénéchal de* JULIEN DE SAINT-GILLES, fr. 2452, 2464, *etc*.

GOLAFRE, *nom de géant*, sag. p. 117. *Est-ce le même que celui qu'on trouve dans le Mainet ?* Cf. G. Paris, *Hist. poét. de Charl*., p. 486.

GONDRACLE DE CLIS, *chevalier de* JUBIEN, sag. p. 156 *(sans doute le même que* GONTABLE D'ORLIE).

GONTABLE D'ORLIE, *roi païen*, fr. 2237. — Voy. GONDRACLE DE CLIS.

GONTIER, *païen*, fr. 1007, 1221, 1256, sag. p. 128, 132, 134. — Voy. GAUTIER 1°.

GOSSÉ, voy. JOSSÉ.

GRANDUSE D'ORCLE, *roi païen*, sag. p. 104. — Voy. GAIDONET.

GUÉRIN, voy. GARIN.

GUIBOURC, *femme de* GUILLAUME D'ORANGE, sag. p. 105.

GUICHART, *chevalier de* SAINT-GILLES, fr. 1477.

GUILLAUME D'ORANGE, *fils d'*AIMERI DE NERBONE *et oncle d'*ELIE, fr. 222, 263, 284, 317, *etc*., sag. p. 103, 104, *etc*.

GUIMER L'AMOREUS, *chevalier de* SAINT-GILLES, fr. 1476.

H

HAKON, *roi de Norvège*, sag. p. 161 *(a fait traduire la saga)*.

HECTOR : 1° *chevalier païen*, fr. 1206, 1211, *etc*., sag. p. 128, 132, 133, 134; — 2° *roi païen amoureux de* ROSAMONDE, fr. 1489.

HÉLÈNE, *femme de* MÉNÉLAS, sag. p. 152.

HERNAUT, *frère de* GUILLAUME

D'Orange, fr. 224, 265, 319, 624, *etc.*, sag. p. 103, 106, *etc.*

Hugon de Paris, *chevalier de* Saint-Gilles, fr. 1477.

I

Irlande, fr. 894, 900 *(considérée comme une ville)*.

J

Jacob (le pays de), sag. p. 96.

Jodoan de Valdune, *roi païen, vassal de* Jubien, sag. p. 152.

Jonacle, *païen*, fr. 2306. — Voy. Jonatré.

Jonas *(allusion à la légende de)*, fr. 1962.

Jonatré *(qu'il vaut mieux lire* Jonatre*)*, *païen*, sag. p. 158 *(le même que* Jonacle*)*.

Josias, *roi d'*Irlande, fr. 894.

Jossé d'Alixandre, *roi d'*Alexandrie (Égypte), fr. 371, 653, 873, 1207, *etc.*, sag. p. 117, 120, *etc.*

Jossien : 1° *roi païen.* fr. 448, sag. p. 110 ; — 2° *fr.* 1567, 1569 *(le même que* Jossé*)*.

Josué : 1° *païen*, fr. 257 ; — 2° fr. 1248, 1681 *(le même que* Jossé*)*.

Jubien, sag. p. 139, 140, *etc.*, *(nom donné à* Lubien *par la saga)*.

Judas, fr. 2310, sag. p. 130.

Julien de Saint-Gille, *père d'*Elie, fr. 10, 32, 62, *etc.*, sag. p. 96, 100, *etc.*

K

Kareld d'Alfatt, *païen*, sag. p. 158.

Karle Martel *(dicton placé dans la bouche de)*, Charles-Martel, fr. 2383.

Karles, voy. Charle.

L

Letifer de la Roche de Garas *païen*, sag. p. 158 *(le même que* Luchibus de la Roche Baudas*)*.

Leun, fr. 798, 839, 865, Laon.

Loeys (le roi), fr. 50, 201, *etc.*, Louis-le-Pieux. — Voy. Louis.

Loire (la), fr. 220.

Louis (le roi), sag. p. 122, *etc.* — Voy. Loeys.

Lubien de Baudas, *roi païen*, fr. 1490, 1497, 1506, *etc.* — Voy. Jubien.

Luchibus de la Roche Baudas, fr. 2309. — Voy. Letifer.

Luiserne d'outre mer, fr. 1868. Lucerne-Outremer (Manche).

M

Macabré, *roi de* Sobrie, *père de* Rosamonde, fr. 253, 714, *etc.*, sag. p. 118, 121, *etc.*

INDEX DES NOMS 201

MACART, voy. COSTANTIN.

MAHOMET, *dieu païen*, fr. 260, 379, 385, *etc.*, sag. p. 107, 108, *etc.*

MAHON, voy. MAHOMET.

MAINE (le), fr. 210.

MALATRÉ, *roi païen*, sag. p. 108, 109. — Voy. SALATRÉ.

MALCHABARIÉ, *roi païen*, sag. p. 104.

MALDRAS DE SORFREYNT, *roi païen, vassal de* JUBIEN, sag. p. 152.

MALGANT, *roi païen*, sag. p. 134; *c'est sans doute le même que* BALIGANT.

MALINGE, *roi vassal de* JUBIEN, sag. p. 156.

MALPRIANT, *roi païen*, fr. 258, 487 *etc.*, sag. p. 104, 111, *etc.*; Malpris(*pour l'assonance*), fr. 2151; Priant (*faute évidente*), fr. 469.

MALPRIS, voy. MALPRIANT.

MALVERGIÉ, *roi païen*, fr. 2307 (*a le même rôle dans le fr. que* SELEBRANT *dans la saga*).

MARCHEGAI, *cheval d'*ELIE *dans* Aiol, fr. 2566.

MARGANT l'irascible, sag. p. 117. — Voy. MORDRANT.

MARS, *païen*, sag. p. 158.

MASKALBERT, *roi païen, vassal de* RUBEN *et frère de* GALIBERT, sag. p. 169, 172, 173.

MENALIS, *païen*, fr. 667.

MÉNÉLAS (le roi), sag. p. 152.

MONMARTRE, fr. 202, Montmartre.

MONTPELLIER, sag p. 103.

MORDRANT l'aïrous, fr. 655 (*peut-être faut-il voir dans ce personnage, appelé* MARGANT *par la saga, le héros* MORDRET *de la Table Ronde?*).

MORIN D'ABILANDE, *roi païen*, fr. 1489.

MURGALE DE SOR, fr. 2074, *sans doute le même que* MURGALE DE TURNIE, fr. 1056.

N

NAVAIRE, fr. 49, 71, Navarre.

NERBONE SOR MER, fr. 848, *etc.*, Narbonne.

NOIRON PRÉ, fr. 84, jardins de Néron (*où l'empereur fit brûler les chrétiens*).

O

OLIFERNE, fr. 1427, Alep? — Voy. ATAIGNANT.

OLIVE, *sœur d'*ELIE, fr. 30, 40. — Voy. ORABLE 2°.

OMER, *conseiller de* MACABRÉ, sag. p. 142, 143.

ONEBRAS, *vassal de* JUBIEN, sag. p. 157.

ONGRIE, fr. 886, Hongrie. — Voy. UNGARIE.

ORABLE : 1° *païen*, fr. 256; — 2° *sœur d'*ÉLIE, sag. p. 94, 178, 179 (*la même qu'*OLIVE).

ORANGE, ORENGE, sag. p. 164. — Voy. GUILLAUME D'ORANGE.

Orcanie, fr. 1313, Orcades.

Oriande, fr. 1826, Orient?

Orlie, voy. Gontable d'Orlie.

Orliens, fr. 2705, Orléans.

P

Palerne, fr. 1871, Palerme.

Paris, fr. 48, 61, 202, *etc.*, sag. p. 95, 96, *etc.* — Voy. Hugon.

Paris, de Troie, sag. p. 152.

Pavie, fr. 915, sag. p. 134.

Peitiers, fr. 198, Poitiers. — Voy. Poitiers.

Perse, fr. 2280.

Pharaon, *roi de* Biterne, sag. p. 152. — Voy. Feraon.

Piereplate, voy. Garin de Piereplate.

Pilate, fr. 655.

Piron, *cheval du roi* Ruben, sag. p. 169, 170.

Poitiers sag. p. 102. — Voy. Peitiers.

Priant, voy. Malpriant.

Prinsaut l'aragon, *cheval de* Lubien, fr. 1826, 2060, 2105, *etc.*, sag. p. 147, 151, *etc.*

Provence, fr. 387, 932, 1414, sag. p. 137.

R

Rainewart au tinel, *héros d'un épisode de la geste de Guillaume*, fr. 2519, 2535.

Rains, fr. 865, *Reims*. — L'archevesque de Rains, voy. Turpin.

Rhône, sag. p. 121.

Robert (l'abbé), *traducteur de la saga*, p. 161.

Roche de Clin (la), fr. 220, la Roche-de-Glun, *que le remanieur place sur la* Loire.

Rodoant de Calabre, *païen*, fr. 290, 316, *etc.*, sag. p. 104, 105, *etc.* — Voy. Rodoé.

Rodoé, fr. 254 (*le même que* Rodoant).

Romaigne, fr. 887, l'empire chrétien de Constantinople.

Rome, sag. p. 99.

Rosamonde, *fille de* Macabré, fr. 690, 902, 1294, *etc.*, sag. p. 121, 126, *etc.*

Rousie, fr. 888, Russie (considérée comme une ville).

Ruben, *roi d'*Alexandrie *et frère de* Jubien, sag. p. 167, 168, *etc.*

S

Saint-Denis (l'abbaye de), sag. p. 103.

Saint Gilles, fr. 4, 387, 779, *etc.*, sag. p. 93, 100.

* Salatré : 1° *écuyer de Julien*, fr. 100, sag. p. 99, 125 ; — 2° *roi païen*, fr. 561, 756, *etc.*, sag. p. 104, 111. (*Ce personnage doit être remplacé aux* v. 405 *et* 448 *par* Ma-

LATRÉ, *neveu de* JOSSIEN 1°; *dès lors la correction de* SA-LATRÉ *en* AITROPÉ *aux* v. 468 *et* 471 *devient inutile*).

SALATRIN, *païen*, fr. 666.

SALEMON (*légende de la femme de*), fr. 1793, Salomon.

SAMARIEN, *nom de marchand*, sag. p. 144, 176.

SANGHIN, *chevalier de* SAINT-GILLES, fr. 168.

SARABIT, *nom de l'épée de* RUBEN, sag. p, 170.

SATENAS, fr. 2308, Satan.

SCIBRAS, *vassal de* JUBIEN, sag. p. 157.

· SELEBRANT, *païen*, sag. p. 158. — Voy. MALVERGIÉ.

SOBRIE, *nom de la ville capitale de* MACABRÉ, fr. 1020, 1247, *etc.*, sag. p. 121, 126, *etc.*

SOR, fr. 2074, Sur (Tyr)?

SORBRIE, voy. SOBRIE.

SURIE, fr. 908, 922, 1295, Syrie.

T

TABARIE, Tibériade. — Voy. CORSAUT.

TANABRAZ, *païen*, sag. p. 158.

TANABRÉ, *prince d'*ALEXANDRIE, sag. p. 118.

TERVAGANT, *dieu païen*, fr. 1261, 1605, *etc.*, sag. p. 119.

THIERI, *chevalier de* SAINT-GILLES, fr. 167, sag. p. 101.

THOMAS, *marchand*, sag. p. 125.

TIBAUT, *chevalier de* SAINT-GILLES, fr. 168.

TIACRE, *le même que* TRIACRE.

TIERI (le comte), *père de* GALOPIN, fr. 1181, 2581. *Ce personnage, que le remanieur fr. identifie avec le Thierri d'Ardenne de plusieurs chansons de geste, est appelé* TIERRI DU SUD *dans la saga*, p. 132.

TIERRI, voy. THIERI.

TORNEBRANT, *roi païen*, fr. 2236.

TRAPES, fr. 65, Trébizonde?

TRIACLE, voy. TRIACRE.

TRIACRE, *roi païen*, fr. 257, 364, *etc.*, sag. p. 108, 109.

TRUANT DE BAUDAS, *païen*, fr. 667.

TURC, fr. 1578; turs, fr. 2320, 2430.

*TURFIER, *roi païen*, fr. 1489, 2236.

TURNIE, fr. 1056 (*semble pouvoir s'identifier avec plusieurs noms géographiques de l'Europe orientale*).

TURPIN, *l'archevêque de* REIMS, *de la geste de Monglane*, fr. 2498, 2520, 2533, 2612.

U

UNGARIE, sag. p. 126, Hongrie. — Voy. ONGRIE.

V

VALENCE (en France), fr. 2464.

VALODRU, voy. BERAUT.

ERRATA

Elie de Saint Gille :

    V. 405 *et* 448, Salatré, *corrigez* Malatré.
    V. 468 *et* 471, *rétablissez* Salatrés.
    V. 576, samis, *corrigez* saïns.
    V. 650, pleve, *lisez* pleue.
    V. 675, faucars, *lisez* fauçars.
    V. 688, ataignant, *lisez* Ataignant.
    V. 1119, gones, *corrigez* goles.
    V. 1820, joianche, *corrigez* joiante.

La saga d'Élie :

    P. 158, l. 27, Jonatré, *lisez* Jonatre.

TABLE DES MATIÈRES

	Pages.
INTRODUCTION	I
Manuscrit du poème d'Elie de Saint Gille	II
Analyse	III
Versification (Assonances et Rythme)	X
Langue	XIII
Origine et date	XVI
L'Elissaga (ses rapports avec le texte fr.)	XXIII
ELIE DE SAINT GILLE	1
LA SAGA D'ÉLIE *(traduction française)*	93
GLOSSAIRE	185
INDEX DES NOMS PROPRES	195
ERRATA	204

Le Puy. — Imprimerie de MARCHESSOU FILS, boulevard Saint-Laurent, 23.

Publications de la Société des anciens textes français. *(En vente à la librairie* Firmin Didot et Cⁱᵉ, *56, rue Jacob, à Paris.)*

Bulletin de la Société des anciens textes français (années 1875, 1876, 1877, 1878, 1879).................................... (Ne se vend pas).

Chansons françaises du xve siècle, publiées d'après le manuscrit de la Bibliothèque nationale de Paris, par Gaston Paris, et accompagnées de la musique transcrite en notation moderne par Auguste Gevaert (1875). 18 fr. 75

Les plus anciens monuments de la langue française, (ixe, xe siècles) publiés par Gaston Paris, *album* (neuf planches exécutées par la photogravure (1875)... 30 fr.

Brun de la Montaigne, roman d'aventure, publié pour la première fois d'après le manuscrit unique de Paris, par Paul Meyer (1875)............... 5 fr.

Miracles de Nostre Dame, par personnages, publiés d'après le manuscrit de la Bibliothèque nationale de Paris, par Gaston Paris et Ulysse Robert. t. I à IV (1876, 1877, 1878, 1879), le vol........................ 10 fr.

Guillaume de Palerne, publié d'après le manuscrit de la bibliothèque de l'Arsenal à Paris, par Henri Michelant (1876)........................ 10 fr.

Deux rédactions du roman des Sept Sages de Rome, publiées par Gaston Paris (1876)... 8 fr.

Aiol, chanson de geste publiée d'après le manuscrit unique de Paris, par Jacques Normand et Gaston Raynaud (1877)..................... 12 fr.
   (Ouvrage couronné par l'Académie des inscriptions et belles-lettres.)

Le Débat des Hérauts de France et d'Angleterre, suivi de *The Debate between the Heralds of England and France, by* John Coke, édition commencée par L. Pannier et achevée par Paul Meyer (1877).......... 10 fr.

Œuvres complètes d'Eustache Deschamps, publiées d'après le manuscrit de la Bibliothèque nationale, par le marquis de Queux de Saint-Hilaire, t. I (1878)... 12 fr.

Le Saint Voyage de Jherusalem du seigneur d'Anglure, publié par François Bonnardot et Auguste Longnon (1878)........................... 10 fr.

Chronique du Mont-Saint-Michel (1343-1468), publiée avec notes et pièces diverses par Siméon Luce, t. I (1879)........................... 12 fr.

Elie de Saint Gille, chanson de geste, publiée avec introduction, glossaire et index, par Gaston Raynaud, accompagnée de la rédaction norvégienne traduite par Eugène Koelbing (1879)............................... 8 fr.

Le Mistére du Viel Testament, publié avec introduction, notes et glossaire, par le baron James de Rothschild, t. I et II (1878, 1879), le vol.. 10 fr.

(Ouvrage imprimé aux frais du baron James de Rothschild et offert aux membres de la Société.)

Tous ces ouvrages sont in-8º, excepté *Les plus anciens monuments de la langue française*, album (grand in-folio).

Il a été fait de chaque ouvrage un tirage sur papier Whatman. Le prix des exemplaires sur ce papier est double de celui des exemplaires en papier ordinaire.

Les membres de la Société ont droit à une remise de 25 p. 100 sur tous les prix ci-dessus.